FICT-ESSAYS
e CONTOS
MAIS LEVES

BERT Jr.

FICT-ESSAYS e CONTOS MAIS LEVES

EDITORA
Labrador

Copyright © 2020 de Bert Jr.
Todos os direitos desta edição reservados à Editora Labrador.

Coordenação editorial
Pamela Oliveira

Preparação de texto
Leonardo Dantas do Carmo

Projeto gráfico, diagramação e capa
Felipe Rosa

Revisão
Marcia Maria Men

Assistência editorial
Gabriela Castro

Dados Internacionais de Catalogação na Publicação (CIP)
Angélica Ilacqua – CRB-8/7057

Junior, Bert
 Fict-essays e contos mais leves / Bert Jr. – São Paulo : Labrador, 2020.
 192 p.

 ISBN 978-65-5625-064-9

 1. Contos brasileiros I. Título

20-3192   CDD B869.8

Índice para catálogo sistemático:
1. Contos brasileiros

Editora Labrador
Diretor editorial: Daniel Pinsky
Rua Dr. José Elias, 520 – Alto da Lapa
05083-030 – São Paulo – SP
+55 (11) 3641-7446
contato@editoralabrador.com.br
www.editoralabrador.com.br
facebook.com/editoralabrador
instagram.com/editoralabrador

A reprodução de qualquer parte desta obra é ilegal e configura uma apropriação indevida dos direitos intelectuais e patrimoniais do autor.

A editora não é responsável pelo conteúdo deste livro. O autor conhece os fatos narrados, pelos quais é responsável, assim como se responsabiliza pelos juízos emitidos.

A meu pai, Colbert Soares Pinto (1910–1970).
A minha mãe, Anna Marisa de Sylos Soares Pinto (1933–2015).
A minha avó, Aracy Ribeiro de Sylos (1902–2000).
A minha irmã, Anna Liz de Sylos Soares Pinto (1964–1991).

Seu legado é luz, sempre a iluminar o caminho.

AGRADECIMENTOS

Agradeço, de coração, à minha mulher, Ilma, e às minhas filhas, Mariana, Vitória e Emilly, por serem a principal fonte de incentivo e ponto de apoio para tudo quanto de positivo realizo.

Desejo, também, expressar minha gratidão à amiga e psicóloga Carolina Vilalva pelas extensas e animadas conversas sobre temas psicológicos. Delas me veio a inspiração para "Sincronicidades", primeiro dos sete contos do livro a ter sido escrito.

Sou igualmente grato à amiga, artista visual e leitora contumaz Suzanne Regina de Brito e Silva pela leitura atenta de todos os contos desde a primeira fornada. Seus comentários e, principalmente, suas risadas sinceras e contagiantes me animaram a crer que estas histórias seriam capazes de divertir alguém mais, além de mim mesmo.

Agradeço, por fim, ao colega e amigo Eduardo Lessa por me permitir compartilhar expectativas e intenções em torno da realização deste projeto.

SUMÁRIO

FICT-ESSAYS *e* **CONTOS MAIS LEVES**

Neandertala brasiliensis 11

47 *VegaLight*

70 *Um tal recital*

Sincronicidades 93

124 *Freddy Quin*

140 *Ensino fundamental*

Quatro teses sobre Deus 152

Neandertala brasiliensis

Encontrava-se na antessala dos 20 anos de idade quando *O dia depois de amanhã* estreou no cinema. Ao que consta, foi a primeira vez em que Faberson (naquela época costumava chamar-se assim) deixou um saco de pipoca por terminar. Sentiu as cenas premerem-no tão fortemente contra a poltrona, que lhe pareceu estar metido numa daquelas imobilizações de jiu-jitsu. Ainda hoje, em sua opinião, o filme mantinha-se bastante atual. Descontados certos exageros comuns no gênero cinematográfico, os efeitos especiais continuavam a impressionar, e o argumento científico por trás da estória permanecia estimulante. Aliás, tão estimulante que o tema do aquecimento global se transformara em fonte da maior polêmica planetária, dividindo a comunidade científica em torno das causas do fenômeno e suas possíveis consequências. Entretanto, no ano de 2004, o grande debate estava só começando. Faberson, que recém-cursava o segundo ano da faculdade, já se inclinava para a Pré-História como área de estudo preferida. O filme só fez aprofundar o seu interesse, levando-o a imaginar cenários abstratos em que a humanidade seria forçada a lidar com condições geoclimáticas extremamente severas e adversas.

O fascínio de Faberson pelos assuntos pré-históricos só iria aumentar nos anos seguintes. Coincidentemente, ou não, o professor da matéria na faculdade, um dos poucos doutores a integrar o departamento de História, se diferenciava da maioria dos colegas por demonstrar em aula sua paixão pelo tema, que transbordava de exposições provocantes, cheias de entusiasmo febril. Faberson seria logo contagiado, a ponto de candidatar-se a integrar o time de assistentes de campo do professor nas pesquisas arqueológicas que empreendia. Nesse processo de tomar uma ideia daqui, desenterrar um osso dali, espanar uma ponta de pedra lascada de lá, Faberson foi se convertendo em arqueólogo. O estudo das demais disciplinas do curso já não lhe despertava nenhum interesse. Só o que desejava era poder concentrar seus esforços, tanto mentais como físicos, em tudo que se relacionasse com Pré-História.

Não tardou muito para que os colegas de faculdade começassem a fazer troça daquele entusiasmo incomum. No campus, pelos corredores do prédio, volta e meia se escutavam exclamações do tipo: "Iiih, aí vem o *Homo faberson*!" Ele passava fingindo não ouvir, ou então dirigia uma careta de troglodita aos gozadores, os quais se colavam contra as paredes, fazendo-se de horrorizados. Às vezes, alguém metido a chargista resolvia decorar os banheiros masculinos com ilustrações humorísticas em que o *Homo faberson* aparecia – com um ponto de interrogação mais outro de exclamação plantados acima de uma cabeça cabeluda – diante de artefatos modernos, tais como celular, *laptop*, *tablet*, carro esporte etc.; ou lançando ao ar, à guisa de aviãozinho, um pedaço de folha de palmeira, que um réptil alado arrebatava e carregava para longe no quadrinho seguinte; ou, ainda, sentado, escrevendo sobre uma página em branco com um enorme fêmur, cuja extremidade se afunilava até ganhar formato de caneta. Esta última era a ilustração preferida de Faberson, que se divertia com o humor satírico dos colegas.

À medida que seus conhecimentos aumentavam, Faberson decidiu que não seria paleoclimatologista, especialidade de Dennis Quaid em seu filme favorito. Seu maior interesse estava, isso sim, voltado para as questões em torno da evolução humana. Carregava consigo essa intuição profunda de que as respostas a certos problemas futuros poderiam ser encontradas no passado remoto da humanidade. Tomando-se, por exemplo, a maior preocupação dos tempos atuais, Faberson pensava que, se o planeta repetia ciclos climáticos cujas variações haviam sido enfrentadas pelo homem pré-histórico, talvez o estudo da experiência humana pregressa pudesse servir, de alguma maneira, para inspirar respostas futuras a situações similares.

Logo depois de se formar em História, Faberson viajou para Los Angeles, onde fora admitido na pós-graduação em Arqueologia da Universidade do Futuro em Los Angeles (UFLA). Suas notas na disciplina de Pré-História decerto ajudaram, assim como os certificados de trabalho de campo como arqueólogo aprendiz, mas o fator provavelmente determinante para a sua aceitação, e que ainda lhe garantiria bolsa de 50% do valor do curso, havia sido a redação acerca das razões que o motivavam a querer estudar na UFLA. Com domínio da língua inglesa bastante superior à média, e usando linguagem ao gosto dos americanos, objetiva e concisa, Faberson fez caber em uma página e meia as suas expectativas em relação ao curso, assim como ao ambiente de estudo na instituição. Em seu texto, o candidato falou sobre a importância que atribuía à Arqueologia, e não perdeu a oportunidade de referir-se à problemática do aquecimento global para ilustrar suas ideias.

Conforme explanou, uma vez que populações humanas primitivas já haviam enfrentado períodos de severas alterações climáticas e produzido adaptações em contextos ambientais adversos, valeria a pena aprofundar os conhecimentos científicos sobre o tema. Tais observações, percucientes e corajosas, foram bem recebidas pela junta avaliadora, habilitando Faberson a tomar parte num universo acadêmico dotado de múltiplos recursos, cuja vibrante atmosfera viria a potencializar o seu desenvolvimento intelectual.

No primeiro semestre dos estudos na UFLA, Faberson travou amizade com um colega estrangeiro, assim como ele, só que colombiano. Escobar Díaz era seu nome, mas Faberson o chamava, por pilhéria, de Pablo, numa alusão ao famoso narcotraficante de mesma nacionalidade. Pouco depois, o grupo receberia novo adepto, Peter Palmer, californiano, filho de pai americano e mãe mexicana. No batismo do grupo, ganhou o apelido de Spider, inspirado na semelhança sonora de seu nome com Peter Parker, cujo popular alterego era o Homem-Aranha. Pablo, que já conhecia a história do anterior apelido acadêmico de Faberson, sugeriu a Spider que passassem a chamá-lo de Homo Faber, ou apenas Faber. Formava-se, assim, um trio de mentes privilegiadas, que se tornaria conhecido como "Alphabrains". A certa altura do segundo ano da pós-graduação, alugaram juntos um pequeno *loft*, de 60 m², suficiente para acomodar os poucos pertences. Com vistas a poupar espaço, decidiram dormir num treliche. A distribuição dos leitos era feita com periodicidade mensal, mediante sorteio, sendo, no entanto, permitido recurso à barganha para eventual remanejamento de posições. Depois da primeira semana, numa votação por 2 × 1, ficou decretada a obrigatoriedade de, pelo menos, um banho diário. A presença de mulheres foi condicionada à regra "todas ou nenhuma", ou seja, se não fosse garantida a presença de, no mínimo, três garotas, nada feito. A regra foi acatada por unanimidade, pois todos a entendiam como necessária para impedir desequilíbrios e tensões no grupo.

O período de intensos estudos e pesquisa acadêmica duraria quase cinco anos. Milagrosamente, os Alphabrains lograram manter-se unidos até o fim, malgrado os inevitáveis conflitos, discussões e rusgas. Durante esse tempo de convívio cotidiano, os três sentiram notável prazer em compartilhar ideias, projetos e sonhos, quer se encontrassem sóbrios, quer em estados alterados de consciência. Quanto a este último ponto, os amigos bem que tentaram aplicar a regra "todos ou nenhum", mas não funcionou. Por essa razão, era frequente que as conversas ocorressem em terreno desnivelado, em que descontinuidades lógicas incidiam abruptamente, dificultando a construção de um edifício argumentativo minimamente sólido. Por outro lado, esse desnivelamento dos estados de consciência, muitas vezes enfadonho para quem estivesse sóbrio, ou próximo disso, também era capaz de produzir resultados interessantes. Afinal, podia ser divertido observar a "viagem" do outro, provocando-o "de fora" com perguntas torpes, apenas para ouvi-lo dar respostas desconexas e delirantes, que eram seguidamente anotadas, de modo a servirem de motivo de chacota em momentos oportunos. Às vezes, porém, alguém em pleno devaneio, liberado dos mecanismos repressores do superego, podia sair-se com alguma ideia surpreendente, digna de consideração. Numa dessas ocasiões, Faber enunciou algo que acabaria por nortear o trabalho a ser desenvolvido pelos três, em regime de parceria, e que definiria suas trajetórias profissionais.

Daquela noitinha em que, normalmente comedido, aceitara provar, junto a Pablo, a pastilha fornecida por um conhecido de Spider, Faber recordava tão somente partes entrecortadas de um sonho. Tudo a sua volta de repente se fizera branco. Sentia muito frio. Havia outras pessoas por perto, todos muito preocupados em não perecer. Uma garota surgia a seu lado. Ao tentar falar com ela, rajadas violentas de um vento geladíssimo emudeciam sua voz e o obrigavam a manter-se calado, com o rosto quase totalmente enfiado na gola do grosso impermeável. Os olhos seriam bolas de vidro, não fosse a proteção de óculos especiais, que lembravam máscaras de mergulho. De repente, o grupo aparecia dentro de um prédio, numa grande cidade deserta. A sala onde se encontravam era uma biblioteca e nela havia uma lareira, única e precária fonte de calor do lugar. Para mantê-la acesa, era necessário alimentar as chamas com livros e mais livros. Alguém batia à porta. Com sacrifício, ele se afastava da lareira para ir abrir e quem entrava era o seu antigo professor de Pré-História. Apontando para a garota, exclamava: "Não a deixem morrer! Ela tem a resposta!" Todos voltavam-se para ela. A partir de então, o tecido do sonho encolhia e se decompunha, restando apenas sensações de frio e angústia. Quando recobrou a lucidez, Faber sentiu um misto entre a satisfação de ter vivido instantes como um dos personagens de *O dia depois de amanhã* e uma inquietação profunda, por não entender a mensagem do professor, nem qual seria o destino de todo aquele grupo, especialmente da garota, com quem sentia existir uma forte ligação.

Dois dias depois do episódio, ao final de um almoço de domingo, Spider revelou que não somente havia optado por não tomar a pastilha que levara os amigos a viajar até "la-la land" na última sexta-feira, como ainda havia registrado os devaneios de Faber, os quais mereciam ser discutidos com urgência. Entre curioso e receoso, Faber uniu-se a Pablo para pedir a Spider que falasse de uma vez. Com um sorrisinho no canto da boca, Spider puxou de dentro do bolso da calça um minigravador. A seguir, ligou o aparelho e a voz de Faber reemergiu, a repetir, palavra por palavra, tudo o que fora dito em seu transe, dois dias antes. O que se ouviu, então, longe de corresponder à narrativa do episódio onírico de Faber, foi mais ou menos o seguinte:

"O bicho vai pegar, cara, vai pegar brabo e vai pegar forte! E quem não se adaptar, dança, cara, assim, ó, de uma hora pra outra… A sacanagem é que esse negócio de adaptação demora, pô!… Põe aí na panela uns mil'anos, dois, três mil'anos, sacou?… E nada de frigideira, não, velho, é panelãozão, cara, no duro mesmo, panelão de ferro, só que mais antigo que a Idade do Ferro, sacou?… Ha! Ha! Ha… A sacanagem é que demora, mas o frio chega rápido, mais rápido que tu pensa, e aí com'é que fica, né cara?… A tua adaptação na panela e, de repente, não tá mais quente, não, velho!… entende a sacanagem? O frio vem depressa demaaaisss, e nós aqui, com a carne ainda na panela, cozinhando a meio quilômetro por hora, velho, demorando que só… Então?… o que é que eu acho, cara… Eu acho, sinceramente, cara, essa tralheira toda de tecnologia vai pro espaço… Espaço nada, velho, vai pro beleléu mesmo, sacou?… Ha! Ha! Ha… Congela tudo, quebra tudo, despenca tudo, e é gelo, e é ventania pra cá, pra lá, e é tu sem te comunicar com mais ninguém, cara, é moleza, velho? Tchau computador, tchau celular, tchau Instagram, tchau tudo, entende?… Ha! Ha! Ha… Agora sério, cara, sério mesmo… Tu acha que dá pra sair dessa?… Não tem como, cara! É *blackout* geral, velho, não tem pra onde correr, o bicho pegou, cara, no duro mesmo, todo mundo dançou, baubaus… Ha! Ha! Ha… Mas… E se a gente tiver com a carne pré-cozida, hein? Já imaginou o ganho de tempo? Ia ser fenomenal, hein, cara? Já imaginou, a carne ficando prontinha antes do frio, e aí desliga tudo, velho, e então tu grita, naquele ar gelado dos infernos, cara, pode desligaaar! Desliga mesmo! O jantar tá na mesa, pô!… E isso, cara, significa que a gente pode tá preparado, sacou?… Pega aí uns sobreviventes, nem muitos, gente de trinta, cinquenta mil'anos, pessoal peludão mesmo, cara, no duro, e vai cruzando eles, vai recuperando a espécie, e cruza mais, e o pelo vem vindo, cara, vem vindo, e vai crescendo… E eles vão relembrando como é que faz sem computador, sem celular… De repente, amanhã tá todo mundo preparado, cara! É brincadeira? Ou, então… Baubaus!… Ha! Ha! Ha…"

A reação de Faber foi de choque com a gravação, ao passo que Pablo rolava de tanto rir. Quando os ânimos se acalmaram, os três puseram-se a tentar decifrar o sentido daquele texto estrambótico, se é que havia algum. Depois de repetir a gravação, voltando e adiantando trechos, chegaram à conclusão de que, sim, havia um sentido por trás de todo aquele discurso. A mensagem podia ser esquematizada da seguinte forma:

- As adaptações no plano biológico são processos longos, que podem levar séculos, ou mesmo milênios, para se completar.
- Mudanças climáticas podem ser relativamente rápidas, sobretudo se aceleradas pela ação do homem, tal como demonstrado, embora com exagero, no filme favorito de Faber.
- No contexto hipotético de um processo acelerado de mu-

dança climática, as tecnologias existentes poderiam vir a colapsar, o que implicaria risco grave à sobrevivência de uma humanidade biologicamente despreparada, que não teria tempo hábil para desenvolver mutações adaptativas aos rigores de um mundo glacial.
- Processo cientificamente guiado e impulsionado de capacitação genética, por meio da ativação, ainda que parcial, de genes remanescentes de populações humanas plenamente adaptadas a períodos glaciais, poderia constituir estratégia apta a aumentar as chances de sobrevivência da humanidade em contexto ambiental de mudança climática extrema.

"Do que estamos falando aqui?", perguntou Pablo. A pergunta era, no fundo, retórica, pois, na verdade, todos haviam entendido muito bem o que jazia nas entrelinhas do discurso de Faber. Tratava-se da hipótese de se resgatar a linhagem do homem de Neandertal. Não integralmente, claro, mas de se fazer aumentar, de algum modo, a carga de genes neandertais no *Homo sapiens* contemporâneo. Conforme a ciência já comprovou, durante o período pré-histórico, os neandertais – linhagem humana que habitou a Europa e o Oriente Médio, aproximadamente, entre 300 mil e 30 mil anos atrás – coexistiram com o *Homo sapiens*, tendo havido cruzamento entre as duas espécies. Sabe-se hoje que o genoma do homem contemporâneo, exceto nas populações africanas, é em 20% coincidente com o do *Homo neanderthalensis*, embora, em média, apenas 1% a 4% dos genes neandertais estejam de fato ativos na nossa espécie.

"Estamos falando", respondeu Faber, "da possibilidade de catalisar a evolução biológica do sapiens contemporâneo por meio de um processo assistido, ao menos a princípio, de elevação da porcentagem de genes neandertais na humanidade." "Noutras palavras", apartou Pablo, "significaria trazer de volta as características de uma linhagem extinta há 30 mil anos..." "O que não é muito tempo", aduziu Spider, "digo, se considerarmos toda a trajetória da evolução humana." "Mesmo se considerarmos apenas o sapiens", continuou Faber, "com seus cerca de 150 mil anos, ainda assim é pouco tempo. Nossos irmãos neandertais desapareceram somente uns 20 ou 15 mil anos antes do início da ocupação humana das Américas, e também da revolução neolítica." "Sim", comentou Spider, "faltou pouco para que pudessem ser testemunhas ou, por que não?, participantes do processo de domesticação dos animais e das plantas." "E também", agregou Pablo, "para aprenderem a jogar futebol americano. Já imaginaram? Pensem nuns defensores neandertais parrudos, a beleza que seria... Ia ser bem difícil pontuar, hein?"

A discussão em torno daquelas ideias durou dias e continuaria, de forma intermitente, ao longo de meses e anos. A conclusão imediata e fundamental dos Alphabrains é que a ideia de Faber era simplesmente genial. Um trabalho em tal direção, ainda que os resultados fossem apenas parciais, seguramente teria ampla repercussão junto à comunidade científica em nível internacional. Decidiram, portanto, que valeria a pena unir esforços e trabalhar em conjunto em prol do projeto. Por sorte, as especializações dos três se mostravam convergentes e complementares no sentido de tornar o projeto viável. Como arqueólogo, Faber estaria capacitado a reconhecer, entre indivíduos contemporâneos, traços físicos e, segundo acreditava, também comportamentais, remanescentes de nossos irmãos primitivos. Spider, paleogeneticista, avaliaria as amostras de material genético a serem colhidas, a fim de determinar o grau de neandertalidade do indivíduo pesquisado. Pablo, que enveredara pelo inovador caminho da informática aplicada à reconstituição da realidade pré-histórica, poderia criar simulações virtuais para orientar o processo de reneandertalização da humanidade. Além disso, Pablo iria, ainda, interessar-se pela também inovadora área do marketing de projetos científicos que, no caso específico da pesquisa pré-histórica, recebia o divertido apelido de paleomarketing.

A seguir, dedicaram-se à tarefa de dar forma ao projeto. Os três concordaram que este deveria ser estruturado em moldes acadêmicos. Assim, caso fosse conveniente apresentá-lo a alguma instituição de fomento à pesquisa, não seriam necessárias grandes mudanças. Depois de alguma discussão, o projeto passou a intitular-se: "Recapacitação genética humana para aumento preventivo da resiliência biológica a eventos climáticos extremos" Uma vez batizado, passaram a definir suas etapas e objetivos. Findo um mês de reuniões noturnas e aos fins de semana, chegaram ao seguinte esquema:

> **Sinopse:** o presente projeto parte do conhecimento, já assentado em bases científicas, de que a população humana atual, excetuada a africana, possui, em média, entre 1% e 4% de carga genética remanescente do *Homo neanderthalensis*. Trabalha-se com a hipótese de que seria conveniente à humanidade capacitar-se para o enfrentamento de eventual cenário de mudança climática violenta acelerada pela ação humana em que o funcionamento das tecnologias contemporâneas estaria comprometido, fato que implicaria sérios riscos à sobrevivência da humani-

dade. Avalia-se que um aumento da carga de genes neandertais na composição genética sapiens constituiria um caminho viável para a obtenção de importante ganho adaptativo. Conduzido de forma assistida e de acordo com parâmetros seguros, o processo de reneandertalização poderia chegar a resultados satisfatórios, elevando a composição neandertal mediante a ativação de genes adormecidos no DNA reprodutivo, a intervalo estatístico entre 10% e 20%, o que geraria um significativo impacto positivo sobre a probabilidade de sobrevivência humana em contexto climático hostil.

Objetivo: produzir quantidade suficiente de indivíduos reneandertalizados, de modo a garantir aumento das probabilidades de sobrevivência da espécie humana na eventualidade de evento climático extremo. Estima-se que o processo leve entre cinco e seis gerações para completar-se, tempo relativamente curto se comparado à história evolutiva da humanidade.

Etapa 1: identificação, na população atual, de indivíduos naturalmente possuidores de elevada carga genética neandertal remanescente, de índice ≥4%, acreditando-se possível localizar indivíduos que disponham de até 5% de carga genética neandertal. Tais indivíduos serão, então, selecionados para participar de programa voluntário de redesenho genético, por meio da ativação de genes latentes, com vistas ao acasalamento com parceiro afim, ou, alternativamente, para coleta de material biológico reprodutivo e subsequente aplicação de técnicas de reprodução artificial.

Etapa 2: testagem dos indivíduos gerados a partir dos grupos e técnicas mencionados na etapa anterior, a fim de avaliar a porcentagem da presença de genes neandertais ativos em seus mapas genéticos. Consideram-se reneandertalizados os indivíduos com carga aumentada de genes neandertais, em patamar ≥10%. Em momento oportuno, tais indivíduos serão estimulados a reproduzir-se entre si, ou, então, a doar material biológico reprodutivo para efeito de procriação artificial.

Etapa 3: repetição da etapa anterior, sucessivamente, até que o conjunto de indivíduos reneandertalizados passe a representar, pelo menos, 0,1% da população mundial. Nesse patamar, a sobrevivência da humanidade atingirá grau de probabilidade considerado minimamente satisfatório.

A colocação em marcha do projeto iria exigir esforço concentrado dos Alphabrains. Nos anos seguintes, cada um deles trabalharia no sentido de desenvolver o projeto ao máximo em suas respectivas áreas de especialização. A Spider coube pesquisar sobre a reativação de genes neandertais latentes. Com muito sacrifício, conseguiria, por fim, isolar vários deles relacionados com a resiliência ao frio. No entanto, algumas dessas características, para cumprir a contento o seu papel fisiológico, requeriam um corpo de morfologia neandertal. Tome-se como exemplo a hipervascularização facial dos neandertais, que lhes permitia até mesmo prescindir de um nariz afilado para suportar melhor o rigor dos invernos boreais. Essa hipervascularização pressupunha a existência de ossos malares amplos e fortes, que alargavam a face, criando espaço para a instalação de uma rede aumentada de capilares sanguíneos. Por outro lado, havia também características morfológicas de mais fácil obtenção, como o formato geral mais compacto, baixo e troncudo, que contribuía para reduzir a taxa de dissipação do calor corporal na espécie.

Faber, por sua vez, dedicou-se a determinar quais os traços fenotípicos e comportamentais que poderiam indicar forte ascendência neandertal nos sapiens contemporâneos. A tarefa era bastante árdua e ingrata, pois, como se sabe, o fenótipo nem sempre reflete de forma fidedigna a carga genotípica dos indivíduos. Alguém pode, por exemplo, ter cabelo loiro, olhos azuis, pele clara e pouco pelo no corpo, enquanto seu genótipo apresenta origem predominantemente semítica. Em tal caso, o lógico seria que ostentasse pele morena, cabelo crespo, olhos castanhos e uma profusão de pelos escuros no corpo. O problema é que se, de um lado, o genótipo é conservador e respeitoso com a memória dos valores hereditários acumulados ao longo do tempo, por outro, o fenótipo é volúvel e maleável, aberto a experimentações inopinadas, às vezes capazes de fazer com que indivíduos, até mesmo famílias, mudem de cara em curto espaço de tempo. Faber sabia disso muito bem, o que não iria impedi-lo de conceber o seu "protocolo de identificação pró-neandertal". A lista de características físicas incluía os seguintes itens:

- **Crista supraorbital:** saliência óssea na altura das sobrancelhas, provocando ligeira protuberância da linha supraorbital.
- **Coque craniano:** alongamento da parte traseira do crâneo, conferindo à cabeça formato ligeiramente ovalado, semelhante ao de uma bola de futebol americano.
- **Nariz achatado, com narinas alargadas:** característica de efeito complicador, pois também pode ter sua origem ligada a populações africanas, cuja genética não guarda nenhuma relação direta com a herança neandertal.
- **Ombros e torso largos:** indivíduos espadaúdos e pouco acinturados.

- **Pernas proporcionalmente curtas em relação ao tronco:** nada que seja ou pareça anormal, apenas uma ligeira desproporção, quase imperceptível, e sem nenhum prejuízo à funcionalidade.
- **Estatura baixa:** em torno de 1,60 m para as mulheres e 1,65 m para os homens.
- **Complexão muscular reforçada:** homens e mulheres com força física acima da média para os padrões atuais.
- **Ossatura larga:** característica que, combinada com a anterior, poderia ocasionar a presença de punhos e tornozelos grossos, assim como de um pescoço relativamente curto e forte.

A incidência de tais características fenotípicas, na totalidade ou em parte, indicaria propensão do indivíduo a ter relação genética mais próxima com os neandertais. Para complementar o trabalho, Faber introduziria no protocolo uma seção com a indicação de traços comportamentais e culturais cuja presença poderia estar relacionada à sobrevivência atávica de características neandertais. De acordo com Faber, tais traços incluiriam:

- **Ronco estrepitoso:** nos longos períodos gelados, os neandertais tinham preferência por acampar no interior de cavernas, abrigos naturais nos quais era mais fácil aquecer e proteger o grupo. O hábito de roncar em conjunto teria sido desenvolvido como tática para manter os predadores afastados. À noite, o som gutural que saía, em altos decibéis, das cavernas ocupadas pelos neandertais, tinha efeito dissuasor decisivo sobre lobos, ursos, e outros carnívoros, os quais não se atreviam a disputar o cobiçado abrigo com feras de proporções que imaginavam medonhas. Supõe-se que a programação para o ronco estrepitoso sobreviva ainda hoje em indivíduos com elevado grau de neandertalidade.

- **Apetite carnívoro**: quando famintos, os neandertais eram capazes de comer um elefante. Com sorte, comeriam vários. E não há nisso nenhum exagero. O frio e os hábitos de caça exigiam consumo diário entre 5 mil e 7 mil calorias. Nos dias atuais, o consumo cotidiano recomendado é de, em média, 2 mil calorias. Embora a dieta dos nossos parentes incluísse alguns vegetais e frutas, dá-se como certo que a proteína de origem animal – abundante em fibras musculares, gordura, cartilagens e tutano – representava o seu principal item alimentar. O cardápio de caças era variado, não necessariamente só mamute. Ao que consta, nenhum neandertal torcia o nariz para um assado de bisão, auroque, ou mesmo de um rinoceronte lanudo bem gordinho. Portanto, dificilmente haverá vegetarianos entre os indivíduos com grau de neandertalidade acima da média.

- **Gosto por programas ao ar livre:** o hábito de percorrer trilhas em busca de caça, ou para coletar outros alimentos, deve ter imprimido uma profunda marca na mente neandertal. É provável que os herdeiros dessa linhagem humana, a qual nunca conheceu a civilização, sintam imenso prazer num piquenique no parque, num passeio de bicicleta, ou em qualquer outro programa ao ar livre.

- **Aversão a multidões:** tudo indica que os neandertais viviam em comunidades de não mais que 35 a 40 indivíduos. Nunca habitaram nada parecido com os formigueiros humanos que seriam as futuras cidades, surgidas com a civilização.

Supõe-se, portanto, que indivíduos com acentuada genética neandertal prefiram atividades sociais com número reduzido de pessoas. Entre uma ida ao *pub* e uma festa com mais de 500 pessoas, preferirão o *pub*, sem dúvida.

- **Apego às tradições:** os neandertais desenvolveram uma técnica de lascado de pedra, denominada musteriense, e a mantiveram durante toda a sua existência enquanto espécie humana. Ou seja, não inovaram nada durante mais de 200 mil anos. Milênios mais tarde, quando uma onda migratória partida da África levou os sapiens a ingressar no território europeu dos neandertais, a maior produtividade na confecção de artefatos líticos seria um dos fatores a explicar a supremacia dos sapiens e o progressivo desaparecimento dos neandertais. Com base nisso, cabe supor que os indivíduos contemporâneos com elevado grau de neandertalidade demonstrem apego a rotinas e modos de vida, bem como a crenças e tradições, a exemplo de valores familiares e religiosos.

- **Vocalizações em coro:** se os neandertais eram ou não cantores, ainda é matéria aberta a discussão. Apoia-se a hipótese de que o ato de cantar, sobretudo em grupo, teria precedido a fala, havendo mesmo ajudado no seu desenvolvimento, ao induzir, graças ao esforço exigido pelas vocalizações, o aparecimento de importantes adaptações em todo o aparelho fonador e áreas cerebrais relacionadas. Os herdeiros genéticos dos neandertais poderiam, assim, apresentar particular pendor pelo canto, individual ou em coro, expressão contemporânea de uma prática ancestral que pode haver perdurado milênios.

- **Busca de diversificação genética:** outro fator a explicar a extinção dos neandertais seria o empobrecimento genético de sua população, que sempre se manteve numericamente baixa. A maior dinâmica populacional dos sapiens teria levado os neandertais a serem progressivamente assimilados, por meio de cruzamentos entre as espécies. A mulher neandertal, sobretudo, seria naturalmente compelida a buscar um caminho para a revitalização genética do clã, já que o homem neandertal, segundo indicam as pesquisas, não conseguia fecundar a mulher da espécie sapiens. Talvez a ocorrência crescente de uniões reprodutivas tenha levado à incorporação daquelas mulheres nos agrupamentos sapiens, com o efeito de provocar o derradeiro enfraquecimento dos clãs neandertais. Os traços da espécie sobreviveriam, porém de forma diluída, por meio da transmissão parcial de seu patrimônio genético. Pode-se inferir, portanto, que, em alguma medida, esse impulso atávico pela busca de diversificação biológica subsista nos herdeiros genéticos dos neandertais. Em tal caso, estes apresentariam tendência à procura de parceiros com características distintas das familiares, assim como certa inclinação à infidelidade, ou mesmo à promiscuidade.

O "protocolo de identificação pró-neandertal" foi muito bem recebido pelos sócios de Faber no projeto. Sua aplicação eficiente selecionaria indivíduos com grande potencial de reneandertalização, o que viria a facilitar o trabalho de redesenho genético a ser feito nas etapas seguintes. O protocolo também ajudaria Pablo a "vender" o projeto junto aos possíveis patrocinadores, lastreado como estava em conhecimentos e conceitos científicos. Além do mais, a temática da evolução humana era, por si mesma, cativante, o que reforçava a probabilidade de que o projeto viesse a contar com a receptividade de possíveis apoiadores.

Valendo-se do talento de bom comunicador, Pablo conseguiu um primeiro aporte financeiro para o projeto, de um fabricante de casas ecologicamente amigáveis. Não tardaria a que empresas de energia solar, ou eólica, de biotecnologia, e outros patrocinadores viessem a se somar no apoio ao projeto. A boa acolhida animou os Alphabrains. Em sua exposição aos empresários, Pablo tratava de enfatizar a importância de se pensar no longo prazo, considerando cenários alternativos. Afinal de contas, a garantia da sobrevivência da humanidade representava, também, a possibilidade de vida empresarial futura. Imaginem, dizia ele, que em torno de um núcleo duro de sobreviventes – digamos, vá lá, cerca de 70 milhões de indivíduos reneandertalizados – outros, menos adaptados, poderiam também sobreviver, graças aos cuidados dos primeiros e à manutenção, por eles todos, dos serviços essenciais à vida em sociedade. Não seria absurdo, portanto, estimar uma população pós-catástrofe de cerca de 200 ou 300 milhões de pessoas. Isso já corresponderia, praticamente, à demografia dos Estados Unidos de hoje. Esse número, no entanto, poderia vir a ser sensivelmente maior, talvez próximo a 1 bilhão de seres humanos, o que representaria mercado potencialmente viável para produtos de tecnologia compatíveis com a nova realidade climática. O discurso de Pablo era rapidamente "comprado" pelos empresários, que vislumbravam possibilidade de sobrevida para seus negócios em um ambiente carregado de ventos polares e tempestades de neve.

Ao primeiro sinal de patrocínio, os Alphabrains fundaram a HRecap, com personalidade jurídica adequada para tocar o projeto adiante. Alugaram uma sede nos arredores de Los Angeles e contrataram pessoal técnico e de apoio. Com isso, os três puderam dar início à Etapa 1 do programa de "Recapacitação genética humana para aumento preventivo da resiliência biológica a eventos climáticos extremos". Foi assim que Faber começou a viajar para locais variados, acompanhado de um ou dois assistentes, a fim de dar andamento à seleção de candidatos aptos a aderir ao programa de reneandertalização da humanidade, a partir da recapacitação de seu equipamento genético reprodutivo.

Numa dessas andanças, Faber dirigiu-se ao Brasil. De passagem por São Paulo, alguns possíveis candidatos foram identificados em shoppings, praças, no Parque Ibirapuera e no Mercado Municipal. Como havia aceitado falar para um grupo de professores universitários em Brasília, Faber deixou o trabalho de triagem dos candidatos paulistanos por conta dos assistentes da HRecap, um deles hondurenho, que adorava o Brasil e conseguia comunicar-se em portunhol. A ideia da reunião com os professores havia partido de um antigo conhecido seu dos tempos da faculdade, Alfeu Penacho, que acabara se tornando diretor do departamento de História numa importante instituição de ensino superior. A palestra teve lugar na sala de reuniões da reitoria da instituição, com a presença de meia dúzia de professores das ciências humanas. Ao ingressar no recinto, Faber sentiu leve enjoo. Conhecia bem as expressões opacas naqueles rostos. Felizmente, pensou, a reunião não demoraria muito. Tinha razão. A palestra não empolgou o público professoral ali presente. O assunto conseguiu, no máximo, suscitar três ou quatro perguntas, ou melhor, interrogações, inclusive acerca dos verdadeiros propósitos de seu trabalho, bem como questionamentos sobre a factibilidade da reneandertalização.

A exposição que havia feito não durara mais do que 20 minutos, pois ele fora propositalmente econômico nos pormenores técnicos. Centrara sua fala na justificativa e nos objetivos do projeto; por isso, a indagação sobre os "verdadeiros propósitos de seu trabalho" lhe soava um tanto absurda e, mesmo, indelicada. Os "verdadeiros propósitos", respondeu ele, correspondiam exatamente aos objetivos que acabara de expor aos presentes. Por educação, tornou a repeti-los, enquanto o autor da pergunta continuava a acariciar dúvidas em meio aos fios de uma barba policromática. Em seguida, Faber defendeu, com veemência, a viabilidade científica do processo de reneandertalização, cuja primeira etapa já havia sido iniciada. Mais de um professor verbalizou seu ceticismo quanto à extensão temporal do projeto, o qual, ainda que fosse tecnicamente viável, dificilmente chegaria a termo, já que cinco ou seis gerações significavam demasiado tempo para sua execução. Faber respondeu que o tempo médio de sucessão das gerações, em torno de 25 anos (sem considerar os incentivos a serem outorgados aos candidatos para sua reprodução precoce), permitiria aos mentores originais do projeto acompanhar, no mínimo, o desenvolvimento de uma geração e meia de indivíduos reneandertalizados. A partir daí, o pessoal técnico da HRecap assumiria o comando das etapas seguintes, até sua conclusão. Todas as instruções para a operação futura da empresa seriam consolidadas em testamento, dotado de valor jurídico, pelos atuais diretores da HRecap. Na opinião dele, Faber, e dos outros dois diretores, o tempo que teriam à frente do projeto seria suficiente para avaliar as probabilidades de sucesso futuro.

Faber partiu de lá com a energia na sola do pé. Por isso, aceitou de bom grado o convite que o prof. Alfeu Penacho lhe fez para que saíssem e fossem divertir-se juntos. O colega gostava de dançar e, naquela sexta-feira, havia um pagode com fama de bom em Planaltina. Por volta das 21 horas, Penacho apanhou Faber no hotel e seguiram rumo à saída norte de Brasília. Na ocasião, o grupo de pagode, natural de Planaltina, contava com um convidado de honra: o renomado violonista Marco Laranjal. A festa iria acontecer num boteco localizado numa esquina pouco movimentada da cidade, local escolhido no intuito de evitar que os ruídos externos interferissem no som do grupo. Faber e Penacho se acomodaram numa mesa de canto. As paredes do boteco apresentavam tom verde-fuligem, assim como cavidades claras ao longo de sua superfície, provocadas pelo desprendimento de partes do reboco, fenômeno cuja verdadeira extensão ficava mascarada detrás de uma profusão de pôsteres, todos retangulares, que traziam ilustrações meio desbotadas de mulheres sorridentes oferecendo produtos diversos. O vocalista do grupo, antigo conhecido de Penacho, veio até a mesa, cumprimentou a ambos e perguntou-lhes se conheciam o violonista convidado. "Só de nome", respondeu Penacho. Instantes depois, voltava ele trazendo Marco Laranjal, que aceitou se sentar e conversar um pouco com a dupla enquanto os pagodeiros ajeitavam a parte técnica do som. Depois das introduções de praxe, Laranjal informou que, embora fosse instrumentista de formação erudita, sua maior vocação como compositor e intérprete se dava no âmbito da música popular brasileira. Gostava muito de compor peças com sabor popular, em diferentes estilos. Inclusive, sentia que uma ideia criativa começava a aflorar ali mesmo, naquele boteco. Faber propôs um brinde de bom augúrio à futura composição, após o qual indagou o violonista sobre suas origens, dele ouvindo que era natural de São Paulo. "Curioso", exclamou, "vim de lá há pouco." "Estava lá a trabalho?", perguntou o músico. "Sim", respondeu Faber, secamente, para não dar margem a espantos. O que de nada adiantou, pois Laranjal logo insistiria: "E trabalha com o quê?" Penacho, orgulhoso com a presença do colega pesquisador, cujo brilho vinha crescendo internacionalmente no firmamento das ciências humanas, apressou-se em responder: "O Dr. Faberson Matoso é arqueólogo, formado na Califórnia, e no momento está selecionando indivíduos que apresentem traços neandertaloides, tanto físicos quanto comportamentais, para participar de um programa de recapacitação genética da humanidade, com vistas à indução acelerada de adaptações biológicas que nos protejam de eventos climáticos extremos capazes de dizimar a civilização, como forma de tentar assegurar, ainda que em grau mínimo, a sobrevivência da espécie humana." "Basicamente isso", arrematou Faber. Laranjal balançou a cabeça afirmativamente, levando o copo de cerveja aos lábios. Então, seus olhos circularam pelo local, já quase lotado, e em seguida levantou-se, despedindo-se, pois era tempo de ir ter com o grupo.

O baile tinha mal começado quando Faber reparou na moça de vestido curto, bem fornida, que requebrava no meio da pista. Na verdade, foi uma certa falta de intimidade com o samba, por assim dizer, o que lhe chamou a atenção na performance da moça que, aparentemente, não se importava em exibir seus passos fora de ritmo. Originário do sul do país, Faber tampouco demonstrava familiaridade com a dança, e, talvez por isso, animou-se a aproximar-se dela, unindo-se ao grupo de baile, onde já se encontrava o Penacho. Quando o olhar dela cruzou com o seu, Faber sentiu como se lhe aplicassem, simultaneamente, várias injeções de adrenalina por todo o corpo. Seus esforços para impor ritmo às pernas e pés produziam trejeitos que o ajudaram a abrir caminho entre os dançarinos, pois estes logo se afastavam, receosos de um contato mais próximo com aquele alienígena introduzido misteriosamente no planeta Samba. Ao acercar-se, Faber notou que a moça fazia seus movimentos do alto de uma sandália de salto plataforma. Descontado o salto de uns 15 cm, a moça devia medir não mais que 1,60 m de altura. Graças a isso, ao postar-se ao lado dela, com seu 1,78 m, Faber quase nem precisou inclinar-se para dizer ao seu ouvido: "Sabia que a dança, assim como a música, pode ser mais antiga que a fala?" A moça o encarou, de um modo divertido, e retrucou: "Tá me chamando de arcaica?" Ele riu, e disse: "Arcaica é muito bom! Prazer, me chamo Faber, sou arqueólogo." Com fingido desinteresse, ela respondeu: "Prazer também, meu nome é Edicleia Romã, sou assessora internacional." Enquanto dançavam, Faber notou o colar híbrido, com partes em metal e em madeira, que lhe adornava o pescoço curto, solidamente estabelecido entre ombros largos e costas fortes, que o penteado em trança única valorizava. "Que belo espécime", pensava Faber.

Depois de algumas músicas rápidas, resolveram se sentar. Foram os dois para a mesa de Faber, que estava vazia, já que Penacho, dedicadíssimo ao bailado, não dava sinais de esmorecimento. "Posso te oferecer uma cerveja?", perguntou Faber. "Vinho, aqui, seria muito arriscado." Ela riu, concordando, e acrescentou: "Não tem problema, eu não tomo vinho nem café, porque mancha os dentes." "Dá pra notar", exclamou ele, quase suspirando, num elogio indireto ao belo sorriso da moça. Ela, desentendida, perguntou: "Escuta, aquela estória da música e da dança serem mais antigas que a fala, é verdade mesmo ou era só uma gracinha pra se aproximar de mim?" Faber, que prezava a objetividade, foi sincero: "É uma tese com a qual estou de acordo, embora seja difícil comprová-la cientificamente." "Difícil por quê?" Animado com o interesse da parceira pelo tema, ele explicou: "Porque algumas práticas culturais, como a dança e a fala, não deixam vestígios materiais que possam ser recuperados pela posteridade." "Sei, não viram fósseis, não é?" "Isso mesmo", disse Faber, quase exultante. "E como é que você sabe tanto desse tipo de coisa?", indagou ela, visivelmente sincera em sua curiosidade. "É que sou arqueólogo, pesquiso a respeito da evolução do homem... E, naturalmente, da mulher também", emendou ele. "Interessante, você deve saber de várias fofocas pré-históricas." Faber sorriu: "É, de algumas. E você, Edicleia, como é o seu trabalho?" "Me chame de Cleia", disse ela. "Bom, eu trabalho como assessora internacional para um deputado distrital em Brasília." Faber, que saíra cedo do Brasil para a América do Norte, não imaginava que deputados distritais precisassem contar com assessoria internacional privativa; por isso, um pouco sem ter o que dizer, exclamou: "Puxa, você deve trabalhar bastante!" Ela soltou uma gargalhada para, em seguida, recompondo-se, afirmar: "Com certeza!" Notando o interesse de Faber pela pulseira dourada que levava no braço, Cleia anunciou que se tratava de uma joia de família, herdada da bisavó materna. "Contrasta com a tonalidade bronzeada da sua pele", disse Faber, que, na verdade, observava as medidas do punho bem torneado da moça. Nos tornozelos, igualmente reforçados, ele já havia reparado. "Estes anéis", acrescentou ela, apontando para os quatro, dois em cada mão, "também são todos de família." "Curioso, não imaginei que você pudesse ser tradicionalista", comentou ele. "Em alguns aspectos, sou sim, mas noutros não!", declarou ela, meio segundo antes de uma estrondosa risada. "Você ronca?", indagou ele à queima-roupa. "Como é que você sabe? Cruz-credo, ainda por cima é bruxo!" Chegava a vez dele de libertar o riso. "Tenho os meus métodos...", sibilou, insinuante. O crescendo na intimidade entre os dois coincidiu com um samba-canção gostoso, cujo refrão era entoado em coro pelo grupo de pagode. Erguendo-se de um tiro nos saltos, cantarolando, Cleia puxou Faber para a pista de dança.

No meio de meia dúzia de outros casais, ele sentiu Edicleia apertá-lo contra o torso largo e forte, de seios pequenos. Com uma das pernas encaixada entre as poderosas coxas dela, Faber viu-se dominado pela volúpia que o tomava de assalto. Era uma sensação sem igual, que emanava das plantas dos pés, dali se irradiando feito constelação incandescente, coisa demodivina, por todas as reentrâncias e protuberâncias corporais, num ímpeto capaz de ressuscitar até o último de seus folículos capilares. "Temos que conversar", sussurrou ele no ouvido esquerdo de Cleia, incomodado com a dualidade da atração por ela, a um só tempo paixão de homem e de cientista. Precisava colocar tudo logo às claras, antes que ela pudesse sentir-se manipulada por ele. Devia contar-lhe sobre o "protocolo de identificação pró-neandertal", dizer-lhe que ela preenchia a maioria dos requisitos, que ele já a considerava candidata em potencial ao programa de recapacitação genética da humanidade, que desejava mapear o seu DNA... porém, quanto ao mapa astral, não havia necessidade de teste nenhum, pois ele estava convicto de que ambos eram plenamente compatíveis, não só hoje, como também amanhã, e pelos dias e anos seguintes, eternidade afora. A tormenta de inquietações dissipou-se assim que um beijo inesperado veio mudar o clima na sua atmosfera existencial. No entremeio de lábios e línguas, pedras brutas viraram torrões de açúcar, e Faber pôde sentir a constelação incandescente expandir-se mais ainda, os confins do universo ficando para trás, na poeira das estrelas...

Quando a música parou repentinamente e ele se viu obrigado a descolar-se de Cleia, um *insight* visceral lhe trouxe o entendimento de que a felicidade navega contra as correntezas oceânicas do mundo. Juntos, os olhos de ambos se abriram para o que acontecia no boteco naquele exato momento, onde quatro indivíduos armados gritavam para que todos ficassem quietos, enquanto fossem colocando os seus pertences – carteiras, relógios, joias – sobre as mesas. Era evidente que os sujeitos não estavam para brincadeira, e que o termômetro da truculência podia, num instante, subir de nível dramaticamente caso alguém se atrevesse a contrariá-los. Um dos quatro, barba de três dias na cara, gorro preto sebento enfiado na cabeça, achegou-se para o lado deles e, apontando para a pulseira e os anéis de Cleia, ordenou: "Pode tirar, tira tudo, hoje é dia da princesa aí ficar sem nada duro no corpo... se bem que a gente pode dar um jeito nisso", finalizou, lançando sobre ela o par de olhos concupiscentes. "Eu, hein", exclamou Cleia, "imagina se um marginalzinho asqueroso desses vai ter vez comigo, mas nem morta!" "Isso a gente também pode providenciar", acrescentou o marginalzinho, assanhando o revólver no ar. "Acho melhor fazer o que eles querem", cochichou Faber. "Entregar as minhas joias de família? A pulseira da bisavó Didinha? Nem pensar, pode esquecer!" "Olha aqui, ó, moça", vociferou o mais grandalhão deles, com jeito de chefe da quadrilha, "os anéis vêm pra gente, sem dedo ou com dedo", e foi tirando uma faca pontuda da cintura. "Vem pegar se tu é homem!", desafiou ela, assumindo posição de combate. Antes que o grandalhão pudesse tocá-la, Faber abraçou-o com força, caindo os dois por cima de uma mesa. Veloz, o marginalzinho interpôs-se entre Cleia e os dois, que esperneavam sobre o tampo da mesa, desferindo violenta coronhada sobre a porção superior da têmpora direita de Faber, o qual imediatamente desfaleceu. Por essa razão, o arqueólogo não chegaria a ver o desenrolar da cena. Cleia, enfurecida, aplicou poderosa cotovelada na nuca do marginalzinho, que foi ao chão como um saco de batatas podres. O próximo a ser contemplado foi o grandalhão, que ainda se desvencilhava do abraço inerte de Faber quando recebeu um murro nas fuças, de onde o sangue jorrou como se proviesse de uma das comportas de Itaipu. Ele levou as duas mãos ao rosto, ao passo que Cleia, aproveitando o ensejo, empurrou-o para trás e montou em cima da mesa, colocando um dos volumosos joelhos sobre o triângulo das bermudas do grandalhão, cuja virilidade se viu totalmente perdida, junto com seus sentidos. Os outros dois assaltantes, perplexos, não sabiam se fugiam, disparavam as armas, ou socorriam os cupinchas. Um deles, ao passar próximo dos pagodeiros, levou um golpe de violão na cabeça, muito bem aplicado por Marco Laranjal. A força do impacto fez romper-se o fundo de jacarandá indiano do instrumento, uma verdadeira lástima. O último membro da quadrilha, que empunhava um revolverzinho mixuruca, com menos de três balas no tambor, precipitou-se porta afora, temendo ser linchado pelos fregueses do boteco. Todos exultaram com o desfecho do episódio, e, não fosse pela preocupação de Cleia com o estado de Faber, a teriam erguido nos ombros e desfilado com ela pela rua. Penacho chamou logo uma ambulância, enquanto Laranjal providenciava um pano úmido e gelo, para que Cleia pudesse prestar os primeiros socorros a Faber.

Cerca de um ano duraria o coma de Faber. Primeiramente, esteve internado em Brasília. Depois de um mês, no entanto, a HRecap providenciou o seu traslado para Los Angeles, onde permaneceu hospitalizado até o final.

Passado um ano, por volta das 7 horas de uma das muitas manhãs de sol da temporada, Faber despertou para a primavera californiana. E, como é natural em tais situações, não tardou a que dormisse novamente. Mais tarde acordaria, e de novo dormiria. No dia seguinte, ao despertar, se deparou com os amigos e sócios, Pablo e Spider. "E aí, campeão?", falou o primeiro. "Já era tempo de retornar ao convívio dos bons", observou o segundo. Faber esforçou-se para compor um sorriso frágil, condizente com sua esquálida figura, que mal se associava com o profissional enérgico de meses atrás. Tentou falar, mas a voz não lhe saía com força suficiente, tudo o que conseguia era emitir um balbucio afônico. "Rapaz, ainda não dá para cantar em coro", brincou Pablo. "Mas não se preocupe", acrescentou, "isso melhora antes que se possa dizer re-ne-an-der-ta-li-za-ção de trás para frente." Apelando para o uso de gestos, Faber indicou que desejava escrever algo. Prontamente, Spider estendeu-lhe um pequeno bloco e uma caneta. A muito custo, e com garranchos quase ilegíveis, colocou uma só palavra no papel: Cleia. "Quando você estiver melhor, falaremos sobre isso", disse Spider. Com o indicador direito, Faber desenhou um ponto de interrogação no ar. "Não agora", insistiu Spider. "No momento certo, conversaremos. Agora você precisar repousar e se alimentar, para recuperar as forças."

Em uma semana, Faber estava bem melhor. Tinha aumentado ligeiramente de peso e já conseguia sentar-se sozinho na borda da cama. Outra semana se passou, e ele seguia readquirindo peso e vitalidade. Ao cabo da terceira semana, caminhava com andador pelo quarto. Foi então que Pablo e Spider concordaram em aceder aos insistentes pedidos de Faber para ter notícias de Cleia. "Escute", disseram eles, "você poderá, em breve, conversar com a Cleia, talvez até mesmo vê-la pessoalmente." "Sério?", indagou Faber, recuperando o entusiasmo na voz. "Sim, mas antes precisamos te atualizar sobre as coisas que aconteceram durante o período em que você permaneceu em coma." "Contem logo de uma vez", disse Faber, com a costumeira objetividade.

"Bem", começou a narrar Pablo, "depois que você 'apagou', fomos te buscar em Brasília. Aí, tivemos a oportunidade de conversar com o Prof. Penacho, que se apresentou no hospital e, muito solícito, nos contou, com detalhes, o que havia ocorrido. Penacho revelou que, na noite do pagode, você tinha se interessado por uma moça chamada Cleia. A julgar pelas evidências, disse ele, você provavelmente havia intuído tratar-se de herdeira privilegiada da genética neandertal." "Verdade", sentenciou Faber. "Então, resolvemos entrar em contato com ela, no que Penacho nos ajudou." Ansioso, Faber indagou: "Mas o que ocorreu no boteco, depois que eu apaguei? A Cleia se machucou? Alguém se feriu gravemente?" Seus dois sócios se entreolharam, sorridentes, e Pablo respondeu: "Não, ninguém se feriu, a não ser você e três dos assaltantes. Cleia não saiu machucada, não se preocupe. Pelo contrário, foi ela que botou dois marmanjos na lona. A mulher é um tanque", deixou escapar Pablo, sob o olhar reprovador de Spider.

"Tivemos uma reunião com a Cleia", continuou Pablo. "Ela ia frequentemente visitar você no hospital. Explicamos a ela tudo a respeito do seu trabalho e do nosso projeto. Com muito tato, lhe dissemos que, provavelmente, você a tinha avaliado como candidata em potencial para o programa de recapacitação genética da humanidade." "Aaai", exclamou Faber, "droga! Ela deve ter pensado que eu me aproximei só por interesse científico. Justamente o que eu queria evitar…" "Acho que ela não levou a coisa para esse lado", aduziu Spider. "Para ser sincero, ela mostrou-se bastante interessada no projeto, querendo saber detalhes sobre o 'protocolo de identificação pró-neandertal'." "Nããoo", balbuciou Faber, "por favor, me digam que vocês não fizeram isso, que não revelaram a ela os quesitos do protocolo, com aqueles pormenores descritivos do perfil morfológico e comportamental dos presumíveis herdeiros genéticos dos neandertais." "Lamento dizer que nós fizemos isso, sim." A frase de Spider soou aos ouvidos de Faber como uma sentença de morte emocional. "Calma", disse Spider, "ela continuou cada vez mais interessada, concordando, inclusive, em submeter uma amostra sanguínea para teste de DNA em nosso laboratório. Em pouco mais de uma semana, recebemos, ainda em Brasília, pela internet, o resultado do exame. Recoste-se bem nos travesseiros, meu amigo, porque você nunca esteve mais certo: Cleia apresenta nada menos que 6,3% de incidência genética neandertal. Trata-se, simplesmente, do indivíduo com o mais alto grau de neandertalidade que conhecemos. Ela é a nossa Vênus! A nossa Vênus", repetiu ele. "Graças a você, Faber!"

"Como assim 'nossa Vênus'?", pensou Faber, mais intrigado do que feliz. Sabia melhor do que ninguém que o termo Vênus, na Paleoantropologia, se aplicava a esculturas pré-históricas retratando o corpo de mulheres grávidas, encontradas em alguns sítios arqueológicos. As imagens, desprovidas de cabeça, constituíam, muito provavelmente, o símbolo mais antigo de reverência à fertilidade. Talvez essas figuras, esculpidas em marfim, osso ou pedra, estivessem associadas a rituais de adoração ou de estimulação mágica da força reprodutiva manifesta na natureza em geral, e na comunidade humana, em particular. Guardadas as devidas proporções, o que Spider acabava de sugerir era a ideia de uma Cleia transformada em "Vênus" pró-neandertal, ou seja, uma espécie de abelha-rainha da reneandertalidade, capaz de gerar uma profusão de rebentos, povoando o mundo com bebês reneandertalizados, a partir de intercursos mantidos com múltiplos parceiros. A visão terminou por provocar engulhos em Faber. Notando a repulsa do amigo, Spider ponderou: "Talvez o termo Vênus não seja muito apropriado, mas o fato é que Cleia representa, hoje, para o projeto, uma verdadeira mina genética."

"Então ela aceitou fazer o teste", recapitulou Faber, circunspecto. "E depois, o que houve?" "Decidimos trazê-la para cá", falou Pablo. "Ela aceitou entrar no programa e, imediatamente, passou aos procedimentos de reativação de genes latentes em seu DNA reprodutivo. Aqui na HRecap ela conheceu outro participante, com 4,9%, e eles, bem, você sabe, essas coisas acontecem…" Nem mesmo o mais alto índice de neandertalidade teria evitado o congelamento que Faber sentiu invadir-lhe o estômago. "Você quer dizer", perguntou, incrédulo, "que a Cleia se interessou por esse outro cara?" "Mais do que isso", disse Spider, "eles começaram a se relacionar e, em menos de um mês, já estavam casados. Foi tudo muito rápido." Com o olhar desviado para a janela do quarto de hospital, Faber murmurou algo sobre aquilo, possivelmente, tratar-se de um artifício para ela permanecer nos Estados Unidos por mais tempo; além disso, casamentos não duravam necessariamente para sempre… Os dois amigos consultaram-se por meio de troca de olhares e Spider fez sinal de assentimento. Pablo, então, complementou o relato: "Não é só isso, Faber. A Cleia e o Mortson acabaram de ter um filho." Faber virou-se para os dois, as lágrimas descendo pelas faces descarnadas. "Não é possível", exclamou.

Por conta do visível abalo de Faber, os sócios, numa espécie de entendimento tácito, omitiram o fato de que o bebê fora um sucesso absoluto, havendo alcançado 10% de reneandertalização. O feito representava prova incontestável de que estavam no caminho certo. Com isso, o projeto certamente receberia enorme impulso, choveriam patrocinadores, a HRecap viraria uma empresa poderosa, os nomes dos Alphabrains circulariam não apenas nas publicações especializadas, como também nas mídias eletrônicas e redes sociais, viriam as homenagens, seriam recebidos na Casa Branca, ganhariam prêmios, talvez até o Nobel. Toda a equipe da HRecap havia celebrado, com generosas doses de champagne, a notícia do "bebê nota 10". Duas semanas atrás, enquanto Faber convalescia, o bebê havia completado o seu primeiro mês de vida. De novo houve festa na empresa, com direito a torta de chocolate, pipoca e refrigerante. Mas Faber não precisava saber disso, não naquele momento. Pablo e Spider também impediram, pelo tempo que puderam, o acesso de Cleia ao quarto dele, na esperança de que o amigo se fortalecesse o suficiente para o inevitável encontro.

Às vésperas de deixar o hospital, Faber recebeu, finalmente, a visita de Cleia, que chegou com o pequeno Neandertson nos braços. Ela estava exuberante, cheia de vida, os seios inchados de leite materno, os quadris um pouco alargados pelo parto recente. "Trouxe o Neandertson comigo", comentou uma Cleia sorridente, mas um tanto sem jeito. Da estreita poltrona em que estava, Faber fez sinal para que ela viesse sentar-se no minúsculo sofá, a seu lado. "Quero vê-lo de perto", disse Faber. Ela, então, retirou a manta que envolvia aquele ser diminuto e sonolento. "Você vai gostar de ver isso", afirmou, abrindo o macacãozinho que o envolvia. Faber examinou-o, logo constatando a malha de pelos que cobria o lombo da criaturinha. "Que maravilha", exclamou. "Parabéns, você fez um excelente trabalho." "Fizemos", disse ela. "Pois é, eu soube do seu casamento e fiquei bastante surpreso", confessou ele. "No começo, me revoltei. A experiência que tivemos juntos, apesar de breve, foi para mim intensa, me marcou muito. Depois, achei que era natural você se interessar por outra pessoa, alguém em condições de corresponder às suas expectativas, não um moribundo como eu, que ninguém sabia sequer se poderia voltar a desfrutar de uma vida plena." Cleia premeu os lábios, depois falou: "Olha, Faber, eu também gostei e gosto ainda muito de você. De verdade! Você arriscou sua vida por mim naquela noite. Isso não tem preço. Foi o gesto mais lindo que alguém já teve comigo. Eu e o Mortson... Nem tem como comparar, foi outro tipo de encontro, em circunstâncias muito diferentes, e, ainda assim, eu não estaria aqui se não fosse por você." Devolvendo o bebê à mamãe Vênus, Faber declarou desejar o melhor para ela e sua nova família. Cleia recebeu o bebê de volta em seus braços e, em meio ao silêncio que emergia, o agasalhou novamente. "Sabe", comentou ela, "eu li o 'protocolo de identificação pró-neandertal' que você redigiu." "É mesmo?", disse Faber, fazendo-se de surpreso. "Sim, eu li", repetiu Cleia. "Achei muito interessante. Foi incrível, reconheci em mim vários dos traços físicos, mas foi com a parte comportamental que eu mais me identifiquei, sabia?" "Não diga", exclamou Faber, começando a surpreender-se de verdade. "Sim", acrescentou ela. "Especialmente com aquela história de busca por diversificação genética." Diante da feição intrigada de Faber, ela concluiu com a seguinte frase: "Confesso que, às vezes, sinto aquelas tendências e inclinações que você mencionou ali, lembra?" E piscou-lhe o olho direito.

Cerca de dez dias após ter recebido alta do hospital, Faber compareceu a um jantar em sua homenagem, no apartamento de Spider. Além dos Alphabrains, a reunião contou com a presença do Prof. Alfeu Penacho, que acabara de chegar em Los Angeles a convite da HRecap. O objetivo oficial da visita era conhecer de perto o projeto de recapacitação genética humana, de modo a poder trabalhar para sua divulgação junto à comunidade científica brasileira e sul-americana. Informalmente, sabia-se que a vinda de Penacho estava também relacionada com as comemorações em torno do completo restabelecimento de Faber. Penacho chegou trazendo-lhe um exemplar do CD recém-lançado por Marco Laranjal, autografado especialmente para ele. Entre as várias faixas do disco, aquela que se tornaria mais famosa seria a intitulada "Barraco em Planaltina", pródiga das síncopes características do quizumbelê, ritmo inventado pelo próprio violonista. Faber agradeceu, sensibilizado, a lembrança, enquanto abraçava Penacho, o qual conquistara um lugar não apenas à mesa, mas também no exclusivo clube de amigos do homenageado. A conversa entre os quatro foi descontraída, repleta de referências cientificamente irônicas, assim como de uma salutar acidez pós-traumática. Em dado momento, Pablo e Spider interromperam a animação para um anúncio importante. Durante o coma de Faber, haviam testado uma amostra de seu sangue para verificar o espectro genético de seu DNA. Ambos juraram nunca ter aberto o envelope com o resultado, o qual agora, solenemente, passavam, num brinde às cegas, às mãos do titular do exame. Emocionado, Faber abriu o envelope. O resultado não era de todo ruim: 4,1% de genes neandertais. Acima da média, portanto. "Assim, meu caro", falou Spider, "você se mantém no páreo para fabricar outro pequeno elo na nova cadeia evolutiva da humanidade". Por que não? A brincadeira teve certa graça, mas nada comparável ao comentário seguinte de Pablo sobre a prole futura de Neandertson, que já viria ao mundo com cabecinha em formato de bola de futebol americano. A mesa desandou a rir. Embora o coro de risadas ainda não contivesse a de Faber, conseguia-se entrever em seus lábios o esboço de um sorriso.

VegaLight

Já era vegana quando resolveu pesquisar a fundo sobre os alimentos, a fim de variar a composição de suas saladas e, não menos importante, acelerar a queima de calorias, mas de forma saudável. Foi muito gratificante. No processo, Talívida Mara descobriria coisas incríveis sobre hortaliças, legumes, raízes, frutas... De tudo o que leu e ouviu, o que mais a impressionou foram as propriedades de dois vegetais até então pouco consumidos por ela: a alcachofra e o pimentão. "Como", perguntava-se, "tinha conseguido viver vinte e três anos e meio desconhecendo os benefícios desses dois maravilhosos itens alimentares?" A alcachofra, além de reduzir os níveis de colesterol e açúcar no sangue, combate a anemia e, de bônus, nos livra dos gases intestinais de forma não constrangedora nem agressiva ao meio ambiente, simplesmente evitando as condições para suas sempre inoportunas erupções. O pimentão, por sua vez, além de combater os radicais livres e possuir ação anti-inflamatória, ainda vem em diferentes cores – o que, vamos combinar, é muito *fashion* – cada uma delas com um sabor particular, podendo ser consumido cru ou cozido. A partir de suas descobertas, foi experimentando cada vez mais com alcachofras e pimentões, que acabaram constituindo o eixo central de seu programa alimentar.

Na academia de ginástica, todos vinham parabenizar Talívida Mara pela publicação do livro que lançara recentemente, intitulado *VegaLight: unindo leveza e energia*. Duas semanas antes da chegada da obra às livrarias, postara um vídeo de apresentação em seu canal no YouTube, para ajudar a divulgá-la. A partir de então, estava empenhada em gravar uma sequência de vídeos dedicados a demonstrar algumas das receitas incluídas em seu livro. Seriam seis, no total. No primeiro da série, Talívida ensinaria como preparar, em menos de 45 minutos, uma salada de pimentão, alcachofra cozida no bafo, pepino cru, alface, tomate, cenoura ralada, cebola, alho-poró, salsinha e umas folhinhas de hortelã, e de como servi--la, sem sal, acompanhada apenas de água ou chá. Daria dicas de como lavar e picar os alimentos, e de como arrumá-los, em círculos concêntricos, numa tigela côncava, de preferência branca ou transparente, previamente lavada com sumo de limão para torná-la livre de qualquer eventual resquício de impureza, recordando por precaução que, por impureza, se deve entender todo e qualquer resíduo alimentar de origem animal.

Na academia, era inspirador ver Talívida malhando. Especialmente quando levava o cabelo liso, de tom castanho-médio, preso em rabo de cavalo, que oscilava, feito pêndulo, a roçar de leve o dorso delgado, ligeiramente umedecido pelo suor. Tal movimento produzia, invariavelmente, um estado de hipnose coletiva que transformava a todos, independente de sexo, gênero ou crença religiosa, em plateia de fãs. Durante determinados exercícios, a ponta do penteado escorregava, para cima e para baixo, sobre a divisória tácita de glúteos artisticamente perfeitos que o traje de ginástica felizmente delineava. Nada nela era excessivo. Sua musculatura não competia com a sensualidade, apenas estava ali, despretensiosamente, ocupando o lugar da gordura. Suas orelhas já eram brincos, só que feitos de cartilagem em lugar de metal. Seu sorriso tornava redundante qualquer tipo de colar, e, quando olhava de frente, viam-se duas canoas, em formato de amêndoa, transportando favos de mel para algum lugar onde valeria a pena se perder.

Talívida era, portanto, ela própria, a melhor propaganda possível da dieta que criara. Bastava que respondesse, cada uma das dezenas de vezes em que, diariamente, lhe indagavam acerca do segredo de sua beleza: "Sigo a dieta VegaLight, desenvolvida por mim mesma para unir leveza e energia." Pronto. Estava feita a publicidade. Em torno de quem perguntava outras pessoas iam se aglutinando, fosse no corredor do supermercado, no shopping, na farmácia, no salão de beleza, todos ávidos por ver e ouvir a boneca falante dizer que era só comprar o livro, ali estava tudo explicadinho, e ele vinha até com receitas para ficar esbelta e bonita. As pessoas compravam. É claro que seu público era composto de uma maioria absoluta de mulheres, sonhando se aproximar do ideal estético incorporado pela autora. Mas não somente. O miolo do livro trazia encartadas várias fotos de Talívida, vestida de roupa de ginástica, de biquini, de *jeans* colado ao corpo e camisa branca entreaberta, e outras mais, que garantiam uma quantidade considerável de admiradores-compradores masculinos.

Para o público em geral, a bela imagem da autora da dieta dispensava a necessidade de comprovação científica de seus resultados. As aparições de Talívida em pessoa ou nas frequentes postagens em mídias sociais não davam margem a dúvidas sobre o fato de que a VegaLight trazia leveza e energia ao corpo. Como "leveza" e "energia" eram conceitos um tanto sutis para os quais não havia parâmetros estabelecidos nem formas precisas de medição, dificilmente Talívida seria acusada de propaganda enganosa caso não se lograsse chegar aos resultados pretendidos. Mas quais eram mesmo esses resultados? A autora, cautelosa, só falava de leveza e energia como sendo as metas de seu regime dietético. Subentendia-se, no entanto, que leveza era sinônimo de emagrecimento, e que energia significava boa disposição para enfrentar algum programa rotineiro de exercícios físicos. Embora não fosse este o foco principal do livro, Talívida inserira um capítulo em que sugeria três sessões semanais de ginástica, nos níveis básico, intermediário e avançado, de modo a que não faltasse orientação a seu público também sobre esse ponto.

O foco do livro era a dieta, propriamente dita. Seus princípios eram fáceis de memorizar e de simples aplicação. Regra número 1: sempre fazer constar pimentões e alcachofra na refeição principal do dia, em quantidade não inferior a 25% do volume total dos alimentos a serem consumidos. Regra número 2: incluir proteína vegetal em pelo menos duas das três refeições diárias, preferencialmente no desjejum e no almoço. Regra número 3: concentrar o consumo de frutas na última refeição, a ser realizada entre as 18 e 19 horas, dando preferência às menos calóricas e cuidando de equilibrar as frutas ácidas com as não ácidas. Regra número 4: acompanhar as refeições de chá-verde diluído ou água, bebidos mornos ou em temperatura ambiente. Regra número 5: tomar água em abundância durante o dia. As regras complementares à dieta consistiam em praticar exercícios físicos ao menos três vezes por semana e dormir ao menos oito horas seguidas, começando, de preferência, antes das 22 horas.

Ao longo do livro, Talívida explicava em detalhe suas opções pessoais pelos alimentos e o seu programa semanal de refeições. No desjejum, ela gostava de consumir uma tigela de granola embebida em leite de soja, o que atendia à ingestão de parte do total recomendado das proteínas diárias. Ela mesma gostava de fazer a sua granola, comprando os ingredientes separadamente para misturá-los nas proporções que mais lhe agradavam. Mas isso não era necessário, podendo-se utilizar granolas já preparadas, adquiridas em lojas de produtos naturais. A refeição principal devia ser composta de uma salada, de ingredientes variados, acompanhada de prato quente, o qual, de acordo com o gosto da autora, podia consistir de travessa de vegetais cozidos, com pimentões e alcachofra, ou porção de bife de soja. Na terceira e última refeição deveriam predominar as frutas, mas nada impedia que se consumisse meio prato de salada, desde que contivesse 25% de pimentão e alcachofra. No que se refere à composição do prato de frutas, Talívida tinha bem definidas as suas preferências e exclusões. Banana nem pensar, por ser demasiado calórica. Laranja, somente acompanhada do envoltório de pele branca, para proteger o estômago e estimular o funcionamento do intestino com suas fibras. Tangerina, picada e nunca junto com laranja. Maçã, apenas as de tipo ácido, como a Fuji, e sem casca. Uva, não mais que três vezes por semana. Mamão, importante para garantir o equilíbrio na acidez. Melão, idem. Abacate, muito calórico, mas com ótimas propriedades, devendo ser consumido duas vezes na semana: uma vez em combinação com frutas ácidas e outra, na salada. Frutas vermelhas e roxas, muito apreciadas, sobretudo morango e mirtilo. Limão, usado para dar sabor à água e como tempero para saladas, em substituição ao vinagre.

O primeiro da programada série de seis vídeos no YouTube foi muito bem recebido pelo público, suscitando milhares de *likes* e inúmeros comentários elogiosos, grande parte dos quais dirigidos à aparência física da autora-apresentadora. Na ocasião, ela tivera o cuidado de amarrar a camisa cinza-claro ligeiramente acima do umbigo, à semelhança dos *tops* de ginástica, e de pisar sobre um tablado, colocado atrás do balcão de granito onde cozinhava, de modo a tornar seu corpo mais visível, especialmente os quadris e seu irretocável bumbum. Na produção do próximo vídeo, planejava incluir um assistente masculino, de físico esculturial, que ajudaria no processamento dos ingredientes e trabalharia com o tronco coberto apenas pelo avental de cozinha. Isso deveria estimular ainda mais a vendagem do livro, que já vinha sendo muito boa. Consultara duas ou três amigas, as quais foram unânimes em apoiar a ideia. Seria maravilhoso observar músculos masculinos aplicados no manuseio de alimentos, sobretudo em posição coadjuvante, sob comando feminino. Betina, sua melhor amiga, tinha sugerido a Talívida que desse ordens secas ao assistente enquanto trabalhavam diante da câmera, e que, ao final, concluísse o vídeo comendo parte do prato que fora elaborado, tendo o assistente postado a seu lado, dois passos atrás, com os braços cruzados, feito estátua. "Vou pensar", respondeu Talívida, já desaprovando a ideia. Não iria correr o risco de alijar o público masculino, ferindo seus brios.

Na manhã em que ia gravar o segundo vídeo da série, Talívida acordou mais cedo. Depois de passar pelo banheiro, foi preparar sua refeição matinal. Estava sozinha em casa, a empregada só entraria depois de meia hora. Ao chegar na cozinha, percebeu o piso recoberto de flocos de aveia e de milho. Espantada, perguntou a si própria o que poderia ter acontecido para provocar aquele incidente. Como não recordava de haver levantado durante a noite, só podia tratar-se de um episódio de sonambulismo. Pensativa, foi atrás de uma vassoura para varrer o chão. Ao voltar da área de serviço, Talívida se deparou com uma enorme banana postada à sua frente. O choque do susto fez a vassoura escapar-lhe da mão. A banana, que devia medir perto de 1,90 m de altura, encarava Talívida com gravidade e logo a repreendeu, falando através de uma fresta em sua casca: "Os flocos espalhados no piso não são lixo, não, onde já se viu? Trate de buscar amendoim, castanha e semente de linhaça para misturar com os flocos e fazer uma granola. Quero tomar banho de tigela com leite de soja!", gritou a banana. "Quero fazer esfoliação com granola!!" E, abaixando mais a casca, mudando o tom da voz, numa pose *sexy*: "Quero rolar na granola, *babe*..." Talívida estava boquiaberta. Congelara. Nenhum pensamento se movia em sua mente. Estupefata, foi-se dirigindo à despensa, sentindo uma das pontas da casca da banana a empurrar-lhe as costas. Diante das prateleiras, agarrou mecanicamente os sacos e potes contendo os ingredientes da granola a ser em breve fabricada no chão da cozinha. Ao retornar, o local da cena estava limpo e a banana havia sumido.

Talívida correu até o banheiro e mediu sua temperatura com o termômetro. O mercúrio parou em 36,5 graus. Normal. Portanto, não delirava em razão de estado febril. Aquele delírio podia explicar-se, quem sabe, pela ansiedade que precedia a gravação do segundo vídeo da série, o qual viria a introduzir elemento novo, na figura do assistente masculino. A própria Talívida não confiava nessa explicação, pois não se sentia nada ansiosa. Bem a seu estilo, decidiu, então, conferir conotação positiva ao episódio. Delírios desse tipo descarregavam tensões ocultas, nada mais eram que elaborações criativas de temas do inconsciente, coisas do gênero. Por precaução, aguardou que a empregada chegasse para poder voltar à cozinha. Vendo que o piso continuava limpo, pediu-lhe que fosse ao mercadinho ali perto, para comprar frutas. "Ah, e traga umas bananas também", acrescentou. "Bananas!?", admirou-se a empregada. "Siiimmm, Vanilda, banana é fruta, não é? Você não tem na sua casa?" A outra concordou, ainda surpresa. "Anda, Vanilda, vai logo, que eu quero deitar a banana na tigela, com granola, e despejar leite de soja por cima." A emprega deu meia-volta rápido e saiu para atender o pedido insólito da patroa.

Duas horas mais tarde, refeita do susto, Talívida começava a gravação do programa em sua cozinha. O tablado já havia sido instalado atrás da ilha de granito, onde ela demonstraria a confecção dos pratos. Artur estava ótimo de avental branco em contraste com a tez morena, os braços musculosos e depilados à vista, assim como parte do largo tórax. A salada do dia iria incluir lascas de beterraba e cenoura cruas, pepino cru em tiras, rodelas de rabanete, alface-crespa, agrião, tomatinho cereja, cebola, cubos de queijo de soja e tempero verde. Os pimentões e a alcachofra viriam no prato quente, junto com rodelas de batata-doce e cebola, tudo cozido. O assistente preparava a beterraba e a cenoura. Talívida ia começar a cortar um longo pepino cru em tiras. Tinha a faca na mão direita, o pepino na esquerda, sobre a tábua branca de plástico, e encarava a câmera, quando sentiu que segurava algo levemente pegajoso e de consistência mais branda. Ao olhar para baixo, viu que sua mão empunhava uma linguiça. "O que é isso!?", exclamou. Em seguida, erguendo os olhos cor de mel para a câmera, emendou: "Isto é um pepino, e ele está cru." Controlando o impulso de desfazer-se daquela coisa grudenta, que se insinuava entre seus dedos, Talívida pensou que urgia fazer algo, tomar alguma atitude que fizesse o embutido mudar para pepino outra vez. Segurando firme a linguiça, mirou a câmera e disse: "Agora, vamos bater o pepino contra a tábua, só para ele amolecer um pouco." Antes mesmo da primeira batida, a linguiça sumira e o pepino estava de volta. Rapidamente, informou ao público: "Como este aqui já está um pouco mole, podemos dispensar o procedimento." Evitando olhar para baixo, pôs-se a trabalhar com a faca. Dali a instantes, temendo cortar-se, pediu a Artur que concluísse a tarefa e passou a exaltar as qualidades do pepino. "Um espetáculo para a saúde, com propriedades diuréticas, excelente para prevenir problemas nos rins, fígado, vesícula, mas, vamos ser sinceros, em matéria de sabor, nem se compara a uma linguiça assada!" O operador da câmera parou a filmagem, e ela, se desculpando, pediu uma pausa. "Quer que eu corte essa última fala?", perguntou ele. "Claro", respondeu. Fora um lapso.

Quando assistiram ao vídeo no YouTube, as amigas estranharam a parte do pepino em tiras. O comportamento de Talívida parecia diferente do normal, como se estivesse surpresa, ou assustada com alguma coisa. Mas haviam sido apenas alguns segundos, o que não comprometia, em absoluto, a totalidade da gravação. Os pratos haviam ficado ótimos e todas aprovavam o desempenho do assistente de cozinha, impressionante no manejo de tudo que tocava. Talívida sorriu quando se reuniram as quatro, para um chá de gengibre com rosquinha de gergelim, e pôde ouvir, pessoalmente, as avaliações das amigas sobre o segundo vídeo. "O que aconteceu naquela parte do pepino?", perguntou Betina. "Sei lá, me desconcentrei", disse Talívida. "Descanse um pouco antes do próximo trabalho de gravação", recomendou Suzi. "Por que não passar o fim de semana num *spa*?" A ideia era boa. Talívida agradeceu a sugestão e continuaram a conversa, que girou sobre o conteúdo a constar do terceiro vídeo da série.

Sozinha em casa, Talívida sentiu-se exausta pela primeira vez em muito tempo. Para relaxar, selecionou no *smartphone* um *hip-hop* romântico, deixando-se afundar na cômoda poltrona do *living*. Por que essas coisas estavam acontecendo? Não podia ser normal ser abordada por uma banana maior do que ela, a qual, ainda por cima, tivera a audácia de mandá-la preparar uma granola no chão da cozinha de sua própria casa. E aquela coisa de pepino virando linguiça, e linguiça desvirando pepino? Algo deveras estranho acontecia. Suzi poderia estar certa. Talvez precisasse de repouso. Não era só a pressão do trabalho o que pesava sobre ela, era também o assédio constante do público, as perguntas que lhe faziam, as mãos que a alisavam, as fotos que lhe requisitavam. Sim. Suzi provavelmente tinha razão. Precisava encontrar um lugar onde refugiar-se por um par de dias. Os compromissos não permitiam pausa mais longa, mas, pelo menos, descansaria um pouco. Uma mudança de ares iria fazer-lhe bem.

Decidiu subir a serra. Passaria o final de semana respirando o ar fresco e puro da montanha, numa cidadezinha pitoresca. Procuraria uma pousada com cardápio adequado a seu regime alimentar. Para não chamar a atenção das pessoas, inventaria uma aparência diferente, um novo *look*. A ideia a animou e foi logo às compras. Nas lojas, escolheu moletons, calças e camisetas folgadas, que ocultariam suas formas. Trocaria a sandália de salto oito de todos os dias por um par de sapatos esportivos. Não usaria nenhuma maquiagem. O cabelo deixaria solto, sem pentear.

Dois dias depois, saía para o fim de semana na serra trajando um conjunto de moletom composto de blusa verde-claro e calça verde-escuro, tênis de lona cor-de-laranja, boné e óculos de sol. O zelador do edifício, acostumado a vê-la quase diariamente, teve de aproximar-se para identificar a jovem que colocava uma enorme bolsa de viagem no porta-malas do carro. "É a senhora, dona Talívida?", perguntou, ainda em dúvida. "Não", respondeu a moça, alegremente. "Sou a irmã gêmea. Ela não lhe contou? Não? Mas ela me falou do senhor, seu Jeremias. Prazer. Me chamo Talípida", informou, sorrindo. "Ela me emprestou o carro para passar o fim de semana fora da cidade." "Aaah! Tá bem então, dona Talípida. Vá com Deus, e boa viagem!"

No caminho rumo à serra, parou para comer num restaurante de beira de estrada. O local tinha boa estrutura e o restaurante funcionava em sistema *self-service*, com bufê variado e balcão de churrasco, em que o freguês podia pedir o pedaço de carne que desejasse. Havia várias pessoas almoçando. Ao passar entre elas, escolher uma mesa e sentar-se, ninguém pareceu notá-la. Os olhares eram rápidos, normais, não permanecendo fixos dentro de expressões de surpresa, curiosidade ou encantamento. O desapontamento inicial com a falta de reação do público foi, aos poucos, substituído por uma sensação prazerosa de descaso com a atenção dos outros, e ela ia recordando como era experimentar aquele relaxamento natural somente propiciado pelo anonimato. Encomendou uma limonada. "Com açúcar?", perguntou a garçonete. Como de hábito, Talívida respondeu negativamente. Porém, no momento em que a garçonete dava meia-volta, Talípida chamou-a e, num sorriso, disse: "Mudei de ideia, com pouco açúcar, por favor." A seguir, levantou-se e dirigiu-se ao bufê, onde montou um prato com arroz, feijão-preto, farofa de ovo, purê de batatas, couve mineira e, por fim, pimentões cozidos, em respeito à irmã. Alcachofra não havia. Com certa ansiedade, foi dar uma espiada no balcão do churrasco. Meio inebriada com o aroma dos assados, observando os pingos de gordura que se desprendiam das peças de carne fincadas nos espetos, pressentiu a inevitável pergunta do assador: "A moça vai querer o quê?" "Uma linguiça, por favor", disse Talípida. Não permitindo que o assador a picasse, transportou-a inteira para a mesa. Ao sentar-se, imediatamente talhou um pedaço da linguiça e o levou à boca. Aquela rigidez, colocada sob a pressão dos dentes, revelava-se tenra e úmida, e entregava às papilas gustativas um sabor não encontrável nas coisas do reino vegetal. Na segunda prova, Talípida suspirou. Na terceira, ao agregar um pouco do purê de batatas à garfada, cerrou os olhos e deu novo suspiro, mais prolongado que o primeiro. Ao finalizar a linguiça, Talívida entrou em cena e falou mais alto, reprimindo o desejo de repetir a dose. Ela sabia que seu organismo, há mais de três anos sem consumir nenhum tipo de carne, reagiria mal a qualquer exagero. Ademais, essa pequena transgressão constituía, tão somente, um gesto isolado de cortesia com a irmã gêmea, que aparecera no fim de semana para visitá-la. Pagou a conta, sem nada mais consumir, e seguiu viagem.

Pinhal dos Cumes era uma cidadezinha deveras agradável. Não faltavam casas de chá, cafés, tavernas aconchegantes para visitar, assim como passeios ao ar livre para se fazer. Também havia uma feirinha tradicional de produtos artesanais, colorida e simpática, que Talípida percorreu após instalar-se na pousada. À tardinha, quando tomava uma xícara de chá-preto com uma fatia de bolo de milho recheado de chocolate num dos locais charmosos da cidade,

Talípida recebeu um telefonema. Queriam falar com Talívida. "Sim, pode falar", respondeu ela. A chamada procedia de uma grande emissora de televisão. Desejavam convidá-la a participar do programa de variedades de Lunarda Mendes, o qual concentrava a maior fatia da audiência no horário de meio-dia. Talívida seria entrevistada por Lunarda durante 15 minutos acerca de seu livro e da dieta VegaLight. Se o resultado fosse bom, poderia ser chamada a participar também do tradicional programa matinal de receitas e dicas de bem-estar, cujos índices de audiência vinham declinando ultimamente. Segundo as fofocas, a emissora buscava identificar alguém para a função de coapresentadora, com vistas a catalisar o processo de renovação do programa.

O telefonema deixou Talívida empolgada e com vontade de ir jantar em algum restaurante, a fim de comemorar com ela mesma. Não tocou mais no bolo de milho com chocolate e saiu dali para comprar roupas que combinassem com ela enquanto o comércio ainda estava aberto, pois não iria jantar fora vestindo moletom e tênis. À noite, Talívida descobriu que o único restaurante da cidade com cardápio vegetariano só abria para almoço. Por isso, teve que se contentar em comer num restaurante comum, onde pediu filé de peixe grelhado ao molho de alcaparras, acompanhado de batata *soufflée* e aspargos. Para beber, instruiu o garçom a que lhe trouxesse uma garrafinha de água mineral natural e, num copinho à parte, sumo de limão. "Ah!", disse ela, "não precisa trazer o filé de peixe, apenas o molho de alcaparras e o acompanhamento." O garçom anotou tudo, revirou os olhos e deu meia-volta. Quando ele retornou, trazendo a bebida, Talívida pediu uma cerveja. Era para Talípida, que reaparecera e insistia em brindar com ela. Talívida concordara com o brinde, mas se mantinha firme em não permitir que o peixe fizesse parte do jantar. Cada qual com sua bebida, as gêmeas brindaram ao sucesso da futura entrevista.

De volta ao quarto da pousada, Talívida se preparava para deitar-se quando decidiu se despedir de Talípida. Uniu as palmas das mãos, em sinal de prece, para realizar o rito mental de despedida. Haviam passado um dia maravilhoso juntas, praticado umas transgressõezinhas alimentares, comemorado uma boa notícia, mas já era hora de Talípida se retirar. Poderia voltar, se quisesse, dentro de um ano, ou dois, para outra visita rápida. Sabe-se lá o que iriam comer juntas da próxima vez, talvez um bife de picanha… Ela soltou um risinho nervoso ao pensar na possibilidade. "Imagine", disse para si mesma, desfazendo daquele pensamento absurdo, "em um ano vou estar bombando na televisão, cada vez mais firme na VegaLight." Então retornou à prece, apressando-se em concluí-la para que pudesse dormir antes das 22 horas. "Adorei te ver, Talípida. Agora anda, vai embora. Ficarei torcendo, de longe, pela sua felicidade. Adeus, irmã!" E desuniu as palmas das mãos, enviando um beijo com a ponta dos dedos, o qual flutuou no espaço do quarto, iluminado apenas pelo abajur da mesinha auxiliar. Em seguida, desligou a luz e acomodou-se na cama macia, feliz com a evolução das coisas.

Por volta das duas horas da manhã, Talívida acordou sufocando, com as cobertas quentes e molhadas. Por que suava tanto? Respirar era difícil, o oxigênio não chegava aos pulmões. Pressentia haver algo sobre sua cabeça, que não eram as cobertas, impedindo a circulação do ar. Movendo as mãos na escuridão para tentar saber do que se tratava, sentiu uma goma grudenta aderir em seus dedos. Desesperada, ela tateou em volta, à procura do botão para acender o abajur. Quando a luz, amarelada e fraca, iluminou o ambiente, a coisa grudenta revelou sua verdadeira natureza. Era sob uma camada de queijo derretido que Talívida se encontrava, respirando dentro de uma bolha onde o ar já estava viciado. Tomada de angústia e pavor, debateu-se, num esforço brutal para remover ao menos parte do queijo que a recobria. Desferindo golpes frenéticos com os antebraços, conseguiu abrir um buraco, o que lhe permitiu, enfim, ter acesso à atmosfera do quarto. Enlouquecida de calor, ergueu o corpo para desfazer-se das cobertas, quando então percebeu que não eram mantas e lençóis que a recobriam, mas tiras de massa mole e quente, lambuzadas de molho branco. Estarrecida, Talívida compreendeu que tinha despertado no interior de uma lasanha. "Socooorrrooo!!!", gritou. E logo berrou, ainda mais alto. O senhor do quarto vizinho veio bater à porta, para saber o que se passava. Lutando para libertar-se das pegajosas línguas de muçarela, verdadeiros elásticos que a mantinham ligada ao leito, Talívida foi ao chão, tentando arrastar-se em direção à porta, enquanto gritava, chorosa: "Tem uma lasanha me atacando, por favor, me acuda!" "Uma o quê?", perguntou o senhor, incrédulo. "Uma lasanha, uma lasanha assassina... Está me atacando, socorrooo!" "Você está sendo atacada por uma lasanha assassina, é isso? Bom, nesse caso, vou pedir à recepção para chamar a clínica psiquiátrica. Vá dormir, garota!" Talívida percebeu, aterrorizada, que o homem se afastava da porta. Talvez, se conseguisse chegar até o chuveiro, pudesse ligar a água quente e liberar-se de todo o queijo e molho branco grudados em seu corpo. Com esse plano em mente, mudou de direção e rastejou, de forma lenta e dolorosa, até o banheiro. Chegando lá, reuniu suas últimas forças e, num espasmo, logrou deslizar para o interior do box, no que foi ajudada pelo molho branco que empapava o seu pijama. Lá dentro, esticou, com dificuldade, o braço direito e ligou o chuveiro. "Morraaa!!!", gritou para o resto de lasanha que ainda havia grudado nela. Para seu desespero, o que saiu do chuveiro não foram jatos de água, mas uma chuva de carne moída junto a um líquido vermelho. "Molho à bolonhesa!", exclamou, chocada. E estava certa. A lasanha era mista.

Depois de alguns minutos, a administração da pousada abriu a porta do quarto com a chave reserva. Encontraram Talívida desmaiada, com a água do chuveiro caindo sobre seu corpo. Felizmente, havia ligado a torneira da água fria. Quando despertou, estava numa clínica, o aparelho de soro acoplado ao braço esquerdo. "O que houve?", perguntou ela à enfermeira, com voz pastosa. "A senhora teve um desmaio no banheiro do quarto." "E minha irmã, onde está?" "A senhora tem irmã?", surpreendeu-se a enfermeira. "Ninguém nos informou. Fizemos contato com a pessoa que a senhora indicou na ficha da pousada. Ela está a caminho, não se preocupe. Agora, peço que tente dormir um pouco mais. A senhora precisa repousar. O soro que estamos administrando contém um sedativo leve, que vai ajudar no seu descanso."

Betina subiu a Pinhal dos Cumes para descer no dia seguinte, acompanhando Talívida em seu retorno à capital. Dirigiram devagar, um carro atrás do outro, até o destino final. Naquela noite, Talívida dormiria na casa de Betina. De manhã, voltou ao seu apartamento, onde Vanilda a esperava com um caldo de ervilha quentinho. Aos poucos, foi recordando o que sucedera duas noites atrás, na pousada. Lembrou da lasanha em sua cama, do queijo elástico que a prendia, do pijama empapado de molho branco morno e, por fim, da chuva de bolonhesa descendo do chuveiro. Tudo tinha sido tão real. Gritara de verdade, clamando por ajuda.

Por sorte, não a haviam internado numa clínica psiquiátrica. O vizinho de quarto, ao que tudo indicava, havia sido discreto, nada revelando sobre a história da lasanha assassina. Os outros hóspedes provavelmente permaneceram adormecidos durante o episódio, ou acordaram com a gritaria e não entenderam nada. O fato é que isso não podia seguir assim. Tinha que se preparar para a entrevista na televisão, marcada para dali a três dias. Definitivamente, não podia correr o risco de sofrer uma dessas crises na frente das câmeras, num programa ao vivo. Isso acabaria com a sua imagem.

Depois de muito refletir, Talívida resolveu chamar Talípida para uma conversa. De alguma maneira, aquela gêmea, que emergira de repente, poderia estar relacionada com o que vinha acontecendo de estranho em sua vida. Seguindo sua intuição, pediu a Vanilda que preparasse uma lasanha mista, de molho branco e à bolonhesa, para o jantar. "A senhora está se sentindo bem, dona Talívida?" "Estou sim, Vanilda. É para uma convidada especial." "Ah, bom!", suspirou Vanilda, aliviada. "Pode deixar, vou fazer no capricho. Sua convidada não vai esquecer nunca dessa lasanha." "Tenho certeza que não", disse Talívida, pensativa.

À noitinha, depois que Vanilda já havia ido embora, acendeu as velas sobre a mesa de jantar, onde o belo prato de lasanha ocupava posição central. Serviu duas taças de vinho branco, bem frio, o que, para ela, era uma raridade, pois quase nunca tomava bebidas de teor alcoólico. Falando em voz alta, dirigiu-se a Talípida. "Boa noite, minha irmã! Que bom ter você aqui comigo de novo. Quero me desculpar por ter interrompido a sua visita de modo tão abrupto. Acho que me comportei de forma egoísta ao tentar excluir você de um acontecimento importante na minha vida profissional. É que a sua presença me faz me sentir um tanto insegura.

Você sabe, eu sou vegana, vivo da minha imagem, dos produtos que crio em torno desse meu estilo de vida. Já você, Talípida, você age sem tanta disciplina no que se refere à alimentação, e também no que diz respeito à aparência. Mas eu quero dizer que admiro muito você, e te acho muito linda nos teus trajes folgados, com o teu *look* casual. Sinto a tua energia como muito leve, relaxada, descontraída. Em certo sentido, talvez você seja mais leve do que eu, e goze de tanta ou mais energia. Por isso, eu quero propor que a gente encontre um meio de vivermos as duas juntas. Eu te respeitando, você me respeitando. Por exemplo, essas alucinações. Cada vez que eu tenho uma, só volto a me sentir tranquila depois de consumir o que apareceu na minha frente durante o delírio. Foi assim com a banana com granola, com a linguiça e, agora, com a lasanha. Proponho que você me indique, com antecedência, qual vai ser o seu cardápio na semana. Duas refeições semanais bastam pra você ficar satisfeita? Três? Ok, três refeições, então. Um dia no fim de semana para sair com o seu *look*, outro com o meu, combinado? Durante a semana, eu tenho que me produzir de acordo com o meu trabalho. Você entende, não é? O quê? Nosso trabalho? Como assim?" Talívida permaneceu em silêncio alguns minutos, como se escutasse uma voz, uma música, um som inaudível aos ouvidos normais. Depois sorriu, exclamando: "Interessante! Pode ser... Prometo pensar nisso. Agora, um brinde a nós duas, irmãs e amigas para sempre!" Depois dos dois goles de vinho, passaram a servir-se e a degustar suas respectivas refeições. Talípida, a lasanha mista, que estava realmente divina. Talívida, um prato de frutas, equilibrado entre ácidas e não ácidas.

Nos dias e noites que se seguiram, Talívida não sofreu mais nenhum sobressalto. Talípida apareceu na quinta-feira, véspera da entrevista, e ajudou-a a relaxar, levando-a para um passeio no parque. Na bela manhã ensolarada, de temperatura amena, andaram de bicicleta, Talípida de moletom esportivo, tênis, boné e óculos escuros. Em casa, escutaram baladas internacionais e um pouco de sertanejo universitário. Talípida, que cultivava o hábito da leitura, começou a ler um livro eletrônico sobre a arte da culinária saudável, baseada no princípio da combinação harmoniosa dos alimentos, sem excluir nenhum do cardápio. Cortes magros de carne, aves e peixes, grelhados ou refogados com pouquíssimo óleo, constituíam fonte rica em proteína e favoreciam o uso criativo de temperos variados. Havia uma infinidade de acompanhamentos vegetais possíveis para a proteína animal: Talípida tinha preferência por compor a refeição com uma fonte de carboidrato – arroz, batata-doce ou inglesa, mandioca, massa – e uma combinação de vegetais crus e cozidos. Adorava sucos naturais, sendo que nos de sabor ácido, ou muito adstringente, colocava um pouco de açúcar. Um copo de cerveja, para acompanhar um bom assado, de vez em quando vinha bem, assim como uma taça de vinho no jantar. Talípida também praticava exercícios físicos, mas gostava de variar. Caminhadas, ciclismo, natação e pilates eram os seus preferidos. Talívida estava encantada com os gostos da irmã gêmea. "Somos muito complementares", pensava, sorrindo.

Na sexta-feira, chegou no estúdio de televisão uma hora e meia antes da entrevista no programa de Lunarda Mendes. Para a ocasião, vestia uma camiseta curta e justa, azul-celeste, *jeans* e sandália marrom-telha. Trazia o cabelo preso em trança, que lhe caía sobre o ombro, acima do seio esquerdo. Enquanto era maquiada, a assistente de produção veio falar da dinâmica da entrevista. Lunarda era muito objetiva e gostava de respostas sinceras e diretas. Teria

15 minutos, aproximadamente, para dar o seu recado. Em suma, nada que Talívida já não soubesse.

Vistosa nos seus quarenta e muitos, Lunarda Mendes colocou a entrevista na segunda metade do programa, imediatamente antes do encerramento. Chegada sua vez, Talívida ouviu a apresentadora chamá-la e foi até lá, sentar-se na poltroninha de couro sintético creme, uma de frente para a outra. "Essa moça bonita que temos aqui conosco", começou Lunarda, "se chama Talívida Mara e acaba de lançar um livro sobre uma dieta, denominada VegaLight, da qual é a criadora. Incrível isso, Talívida! Quem diria que haveria espaço para um capítulo *light* dentro do veganismo, não é mesmo?" Talívida cumprimentou a entrevistadora, assim como o público telespectador, e, indagada sobre no que consistia a dieta, explicou, rapidamente, os seus princípios básicos. Falou de leveza e energia, depois deu pinceladas sobre as receitas do livro e o programa de exercícios físicos. "Qual a sua cor preferida de pimentão?" "O meu preferido é o amarelo", respondeu a entrevistada sem hesitar, "muito rico em vitamina A." "Cru ou cozido?" "Gosto das duas formas, mas, se tiver que escolher, cozido. O pimentão cru pode ser um pouco indigesto", afirmou, "sobretudo o verde, por isso não convém exagerar. Quando cozido", prosseguiu, "torna-se ligeiramente adocicado e é de mais fácil digestão." "E a alcachofra, te livrou dos gases?", disparou Lunarda. Após um risinho curto, Talívida respondeu que sim. "Todos nós podemos nos beneficiar da alcachofra, nesse e noutros sentidos também." Era evidente que as respostas claras, informativas e bem-humoradas de Talívida agradavam à dona do programa. "E essa coisa de não poder comer nada de origem animal, como é isso, de onde vem, para onde vai?", questionou Lunarda. "Essencial essa pergunta", disse a entrevistada, emanando maturidade. "Nós, veganos, queremos ter uma relação de respeito, não de opressão, com os animais. Não nos sentimos confortáveis carregando sobre os ombros a responsabilidade pelo sofrimento de outros seres, capazes, assim como nós humanos, de sentir dor, de desenvolver afeto, e que têm um nível razoável de consciência a respeito de si mesmos e do ambiente em que vivem. Não gostamos de pensar na brutalidade envolvida na criação e no abate de seres sensíveis e indefesos, que se sacrificam aos milhões, todos os dias, enquanto seguimos tornando o mundo cada vez mais superpovoado e ecologicamente desequilibrado. Esse sacrifício nos parece ainda mais brutal por ser desnecessário, já que podemos nos alimentar perfeitamente de outras maneiras, que são até mais saudáveis." "Então", assinalou Lunarda, "em síntese o veganismo é um movimento de fundo ético, não apenas outro tipo de dieta à disposição das pessoas." "Sim", disse Talívida, "o veganismo se pauta por essa ética que eu mencionei e vem se afirmando, cada vez mais, como uma opção nutricional saudável. Há um campo enorme a ser explorado no que se refere ao desenvolvimento de receitas, cardápios e programas alimentares dentro da linha geral do veganismo. A VegaLight representa uma contribuição nesse campo, e eu me sinto muito gratificada ao saber que mais e mais pessoas têm se interessado pela minha dieta." "Também, não é para menos", exclamou Lunarda num *close* para a câmera, "quem não gostaria de ter essa aparência, não é mesmo?" Talívida sorriu e emendou: "Cada um tem a sua. A VegaLight é apenas um dos fatores que podem influir para que as pessoas estejam felizes em ser quem são. Sabe, Lunarda, eu descobri, recentemente, que a diversidade é um dom, que faz de nós, humanos, uma espécie incrível. Seria uma pena se toda essa pluralidade de caras, corpos, cores, ideias, crenças, fosse eliminada em nome de um padrão genérico para cada uma das dimensões de nossa expressão individual. Para compreender isso, tive que viver, no plano psíquico, algumas experiências um tanto alucinantes… Estive em situações que, meu Deus, não desejo repetir, nem recomendo a ninguém. Mas superei essa fase, e, com a ajuda da minha irmã gêmea, aprendi que, tão ou mais importante do que acreditar em algo, é respeitar o outro com as suas crenças, entender as suas fundamentações, pois em quase tudo há alguma sabedoria. Se existir respeito, e ele for recíproco, mesmo que não concordemos com uma determinada posição, é possível, e saudável, conviver harmoniosamente com a diferença." "Você tem uma irmã gêmea?", admirou-se Lunarda. "Como ela se chama?" "O nome dela é Talípida Meri. Somos idênticas na aparência, mas temos *looks*, gostos e crenças bem diferentes." "Não me diga que ela come carne?", perguntou a entrevistadora. Talívida riu. "Sim, come. É a companhia perfeita para um churrasco. Aliás, não só para um churrasco, Talípida adora comer e come de tudo. Mas ela também se preocupa em manter-se saudável. Pratica atividades físicas e tenta moderar no apetite. O que eu quero dizer, aqui, é que eu amo a minha irmã. Te amo, Talípida, viu?", declarou, o olhar fixo na câmera. "E isso, gente, que fique bem claro, está acima das diferenças em estilos e gostos. Se ela quiser que eu prove um assado, vou provar. Uma lasanha à bolonhesa? Vou provar. Se ela pedir que eu vista um moletom com tênis, vou vestir. Não podemos esquecer o que vem primeiro nesta vida. E, para mim, do modo como penso hoje, o afeto pela minha irmã, e também o carinho e o respeito pelas outras pessoas, precede o respeito pelos animais, por mais ternos e fofos que sejam."

A entrevista fora um sucesso. Ao final, Lunarda indicara a possibilidade de que também Talípida fosse entrevistada por ela. Em tom divertido, Talívida respondera que conversaria com a irmã. O nome da criadora da VegaLight passou a ser cotado para ocupar a nova posição de coapresentadora no programa matinal da emissora, voltado a temas relacionados a culinária e bem-estar. Essa perspectiva a agradava bastante, mas procurava controlar a ansiedade, evitando nutrir demasiadas expectativas a respeito. No momento, se dedicava a tocar em frente a série de vídeos de demonstração das receitas de seu livro. Além disso, estava ajudando a irmã a desenvolver um projeto. A ideia seria abrir um canal próprio de YouTube para Talípida e lançar ali um programa semanal, em que a gêmea apresentaria experiências divertidas e saudáveis. Um churrasco de peixe, uma festa dançante numa garagem subterrânea, um passeio noturno de bicicleta na praia, um sorvete no terraço de um edifício bem alto, coisas assim, ao mesmo tempo simples e diferentes, ao alcance de todos. O objetivo era dar ideias de como se pode quebrar a rotina de forma criativa, buscando viver cada momento intensamente. Talívida Mara e Talípida Meri divertiam-se a valer discutindo o projeto, enquanto saboreavam uma porção de alcachofras ao molho de beterraba e iscas de filé ao gorgonzola. Respectivamente, claro.

Um tal recital

Caía a tarde sobre a varandinha estreita do apartamento minúsculo, onde seu único habitante podia ser encontrado, sentado numa banqueta. Se na saleta houvesse um visitante, iria vê-lo de costas, recurvado sobre o instrumento, com cintilações de ouro e cobre a enfeitar sua silhueta, dádivas de um astro que se despede a outro em formação. E o eventual visitante perceberia os sons emitidos pelo violão de Saïd chegando-lhe um tanto abafados pelos ruídos da rua, três pavimentos abaixo, e talvez também pela barba, dos poucos elementos decorativos do lugar. Mas não era por falta de espaço que nenhuma visita havia na saleta, a um só tempo sala de jantar e de estar, quarto e cozinha. Era porque Saïd simplesmente esquecia de convidar pessoas para ir ter com ele no "poleiro", conforme apelidara o seu cafofo. Embora, em verdade, não fosse bem essa a explicação: não é que Saïd esquecesse, ele apenas ia protelando o convite. Desejava proporcionar a quem o visitasse um desfrute inesquecível, capaz de suplantar a estreiteza arquitetônica, o desenxabimento ambiental, a deselegância contextual, a precariedade conjuntural. E isso requeria a preparação de um repertório de peso. Uma sequência de peças preciosas, cada qual um tesouro em si mesma: uma, um baú de moedas de ouro; outra, um de gemas; outra mais, um de brilhantes... Riquezas a serem vertidas em sons, uma por uma, a partir de um violão dedilhado com técnica apurada e magia pura.

Somente conceber o repertório e o estilo de interpretação já representava trabalho considerável. Quantas peças deveriam estar prontas, lapidadas à perfeição, para uma audição "varandística"? Tocaria virado para o vão da rua, ou voltado para dentro do apartamento, de frente para o visitante? Haveria intervalo para um café, ou não? Faria uma breve apresentação introdutória do repertório antes de dar início ao recital, ou falaria imediatamente antes de cada peça? Ou ainda, ao inverso, logo após concluí-la? Se cometesse algum deslize na execução, pararia tudo para recomeçar a peça do início, ou seguiria em frente, como se nada tivesse acontecido? Optaria por interpretações teatrais, ou sóbrias? Caso fossem teatrais, alternaria sacudidelas verticais da cabeça com meneios laterais suaves e prolongados, ou executaria um único tipo de movimento? Intercalaria olhos cerrados com sobrecenho franzido, ou desempenharia ambos conjuntamente? Sorriria em algumas passagens? Encararia a plateia com olhar perfurante, fazendo cara de mau? Transitaria entre uma e outra expressão facial?

No que se refere ao repertório em si, as dúvidas e questionamentos que assaltavam Saïd não eram menos abundantes. Concentraria o repertório num único período musical? Qual deles? Barroco, Clássico, Romântico, Moderno, Contemporâneo? Combinaria peças de diferentes períodos? Apresentaria peças de um só autor? Qual? Bach, Weiss, Sor, Tárrega, Villa-Lobos? Tocaria apenas peças de compositores brasileiros? Pernambuco, Baden, Gismonti, Sérgio Assad, Marco Laranjal? Mesclaria peças de autores estrangeiros e brasileiros? Incluiria alguma composição autoral sua? Terminaria o recital com uma peça totalmente improvisada, feita na hora? Quebraria, então, o violão contra a parede? Arremessaria o instrumento por sobre o peitoril da varanda, para ir espatifar-se no chão da rua? Claro que não, alguém poderia sair ferido. E também não convinha sacrificar o instrumento em troca de um único gesto de efeito, por mais impressionante que pudesse ser. Bons violões custavam caro.

Preparar um repertório à perfeição era algo que não o desencorajava, em absoluto. Saïd julgava-se suficientemente maduro para enfrentar o desafio. Ademais, tocar da varanda para um visitante na saleta poderia servir-lhe de treino a futura audição profissional, que viria a efeito, oportunamente, em alguma sala de espetáculo de boa acústica, para público formado por dezenas, ou mesmo centenas, de pessoas. Segundo planejava, a ocasião de sua estreia como instrumentista seria aproveitada para apresentar composição própria, que fosse capaz de causar impacto tanto no público quanto na crítica especializada. Em sua opinião, havia, na atualidade, um grande número de instrumentistas situados entre o bom e o excelente. De violonistas de alto nível, então, o Brasil era especialmente bem provido. Já no que se referia a bons compositores, a oferta não era assim tão grande. Por isso, se pudesse desde logo marcar presença nessa área, tanto melhor.

Com o passar dos meses, fora estruturando programa completo para o recital "varandístico". Abriria com "Valseana", bela peça de cativante lirismo contemporâneo, composta pelo brasileiro Sérgio Assad, o qual provinha de antepassados libaneses, assim como ele, Saïd Cozid. Depois, tocaria o "Prelúdio nº 1", de Villa-Lobos, muito conhecido e aplaudidíssimo. Logo após, ainda do Villa, o

"Estudo nº 7", seu preferido entre os doze compostos pelo maestro. A seguir, a contemporânea "Sunburst", do norte-americano Andrew York, peça deveras interessante e um tanto acrobática, de variado colorido rítmico. Então, passaria à "Bagatelle nº 5", uma das cinco bagatelas compostas pelo britânico William Walton, igualmente contemporânea e virtuosística. A penúltima obra, de marcado sabor popular, contemplaria composição do brasileiríssimo Marco Laranjal, intitulada "Barraco em Planaltina", em ritmo de quizumbelê, inventado pelo próprio Laranjal. Para finalizar, Cozid introduziria peça de sua autoria, ainda em fase de elaboração, a ser chamada "Varandeana".

Quando pensava no programa do recital, que começaria com "Valseana" e concluiria com "Varandeana", Saïd se transformava em peão de boiadeiro para montar o próprio coração, de modo a que não saísse em disparada, tamanha a empolgação que sentia. O repertório era fantástico, centrado em peças modernas e contemporâneas, em que predominavam obras de autores brasileiros. Havia apenas dois problemas a resolver. Primeiro, Saïd teria que adquirir grau de qualidade técnica e interpretativa à altura das peças escolhidas, portanto equivalente ao mais próximo possível da perfeição. Sua execução deveria ser segura e precisa, tudo milimetricamente ajustado, sem tensões ou vacilações que viessem a prejudicar a expressão do sentimento contido em cada uma das peças. Em segundo lugar, Cozid teria que compor, ele próprio, uma peça para violão solo que correspondesse a suas expectativas, as quais, conforme reconhecia, eram bastante elevadas. O estudo do repertório não o assustava, pois era somente questão de tempo e dedicação até que alcançasse o nível técnico requerido. Como julgava ser naturalmente expressivo, considerava o aspecto interpretativo bastante acessível e descomplicado. O maior desafio residia em compor algo dotado de características que atendessem suas exigências.

Ao imaginar a futura peça, parecia-lhe adequado que sua execução durasse de 5 a 10 minutos. A obra deveria conter trechos experimentais, centrados na exploração da sonoridade do instrumento. Sua estrutura seria do tipo ABCA', ou seja, dividida em quatro partes: três seções consecutivas e diferenciadas (A, B, C), seguidas de uma quarta seção (A'), em que as ideias da primeira seção reapareceriam modificadas. O ritmo teria que mudar mais de uma vez ao longo da execução, de modo a transmitir a noção de ciclos dinâmicos. Cumprir tal propósito exigiria que "Varandeana" começasse em compasso 4/4, depois mudasse para 5/4, passando, a seguir, a 6/8, e finalizasse em 4/4 novamente. O autor pretendia fazer com que suas duas maiores influências estivessem refletidas na peça: Sérgio Assad e Marco Laranjal. Deste último, procurava assimilar a pluralidade rítmica e o gosto por temas populares. Em relação a Assad, Cozid buscava captar a riqueza harmônica e estrutural de suas composições, assim como a sofisticação de seu fraseado, de contornos melódicos assaz originais. O estilo da obra seria, portanto, eclético, misturando elementos musicais eruditos e populares.

"Valseana", tema de abertura do recital, composta por Assad na tonalidade de ré maior, flertava com a sonoridade de si menor, seu grau relativo. "Varandeana", prevista para o encerramento, seria composta por Cozid na tonalidade dominante de ré, ou seja, lá maior. Entretanto, como a peça deveria apresentar contornos predominantemente sentimentais e reflexivos, o autor decidiu que adotaria o relativo de lá como centro tonal da música, o que faria com que esta viesse a soar na tonalidade de fá sustenido menor. Nada de assustar, já que o campo harmônico permanecia tendo os mesmos acordes de lá maior, apenas seus graus e funções seriam diferentes, e as notas seguiriam sendo iguais às da escala de lá, com sustenidos aplicados a três delas: fá, dó e sol.

Contra a luz difusa do entardecer, abancado na estreita varanda, Cozid começou a extrair os primeiros sons tentativos de sua futura peça. O violão trazia a sexta corda afinada em ré, tal como em "Valseana". Imaginou, para o início da música, um cromatismo de lá até dó, executado mediante dedilhado rápido do indicador e médio da mão direita, mas num ritmo truncado, para dar o efeito de um tropeço. Em seguida, um *slide* de dó a ré sustenido. E então o arpejo de uma inversão do acorde de fá sustenido menor. Cozid levantou-se de um pulo, animadíssimo. Cobriu, veloz, os dois metros que o separavam da cozinha, inclinou o tronco em direção ao armarinho suspenso sobre a pia e agarrou a caneca para preparar-se um café. Era em momentos assim, carregados de euforia, que gostava de demorar-se nos pensamentos, enquanto a chaleira ia aquecendo sobre o fogão. Dera um passo importante: fizera a abertura da peça. Agora era perseverar. Comporia um pouco todos os dias e, com sorte, ao cabo de algumas semanas a obra estaria pronta. Depois, viriam meses de prática, em que se juntariam todas as partes do repertório. Dentro de um ano, ou dois, quando estivesse em condições de executar o programa completo, poderia marcar a audição varandística para um convidado de honra. Quem seria ele, ou ela, era questão por demais prematura, a ser formulada e respondida bem adiante.

Sucederam-se os dias. Devotado ao trabalho de compositor, Cozid avançara uns nove ou dez compassos, e agora preparava um ritornelo sobre quatro compassos, para depois seguir em frente. Tratava-se de um trecho de força declinante, que encerraria a primeira seção da peça. Imaginou um mergulho nos agudos para além do décimo segundo traste, concentrado nas três primeiras cordas, para então subir, gradativamente, até a sexta corda. Pretendia explorar a região vizinha à boca do instrumento, onde as notas perdiam o vigor sonoro como se estivessem em pânico diante daquele abismo arredondado, espécie de buraco negro da galáxia violonística. E, no entanto, era dali – ironicamente – que os sons procediam, projetados para ir semear o ambiente de seu entorno com notas musicais abertas a infinitas combinações melódicas e harmônicas. Cozid refletiu pela primeira vez sobre tal paradoxo. Sim! Era preciso explorar aquela região, mostrar a realidade de um mundo além da claridade dos sons produzidos em outras áreas do braço, afastadas da zona central do corpo do violão, um mundo dominado pelo drama das notas crescentemente opacas, em sua luta contra a sucção acústica do buraco negro, tão próximo sob o despiste da marchetaria circular em torno à boca do instrumento. Boca que constituía, a um só tempo, símbolo de vida e morte, gênese e extinção, concentrando-se nela poderes tanto de articulação e disseminação quanto, inversamente, de obliteração e silenciamento.

Cozid levantou-se como se propelido por molas nas solas dos pés. Deu três passos para chegar à cozinha e inclinou o corpo até agarrar a caneca, no armarinho suspenso sobre a pia. Iria preparar-se um café, enquanto pensava sobre a ideia que acabara de ter para o encerramento da primeira seção da peça, ao som da chaleira sendo aquecida sobre o fogão. Depois de saborear a bebida com um biscoito de baunilha, voltou à varanda e pôs-se a operar na região por ele delimitada, provando diferentes sequências de notas. Após inúmeras tentativas, conseguiu encontrar uma frase ligeiramente dissonante que o satisfez. Burilou-a com paciência, até completar os quatro compassos do ritornelo, que serviria de fecho à primeira seção da peça. Cozid alegrou-se com o resultado: a crescente opacidade das notas em sucessão provocava efeito de apagamento sobre as ideias musicais anteriores, abrindo caminho para a segunda parte da obra, que deveria ser composta a seguir.

A segunda seção, em compasso 5/4, foi-lhe custosa. A princípio, tentou uma ideia discursiva. Partiria da sensação anterior, de desfalecimento sonoro, para evocar com efeitos percussivos um renascimento acústico do qual brotariam fragmentos de frases, evoluindo, em seguida, para filamentos melódicos longos. Tal evolução da complexidade melódica ocorreria à medida que a mão esquerda, abandonando a vizinhança da boca arredondada, fosse percorrendo o braço do violão em direção à extremidade oposta, onde se localizava o setor dos mecanismos de afinação, na cabeça do instrumento. Apesar de interessante, a ideia logo sofreria mudanças. No processo de implementá-la, Cozid viu-se subitamente seduzido pela possibilidade de produzir um diálogo entre as sonoridades de ambas as extremidades do violão. Para tanto, alternaria fragmentos melódicos na zona opaca, à direita do violonista, com arpejos de acordes na área oposta. Logo depois, haveria um deslocamento gradativo de ambos os lados rumo ao centro do braço. Nessa etapa, os sons do lado direito permaneceriam na forma melódica, ganhando corpo e complexidade, enquanto os sons do lado esquerdo se cristalizariam em acordes, rodeados de notas procedentes de seus próprios arpejos, enriquecidos com intervalos diatônicos e cromáticos.

Cozid trabalhou, com determinação, para que o diálogo entre ambos os lados do instrumento fosse travado a contento. Após várias revisões, chegou ao final da segunda seção da obra. Tocá-la requeria certo grau de virtuosismo, pois se fazia necessário saltar frequentemente de um setor a outro do braço, até que o progressivo encurtamento das distâncias facilitasse os movimentos. Além disso, o trabalho desempenhado por cada mão era específico para cada um dos lados do braço. Ao final, o diálogo trazia à luz não apenas duas vozes diferentes, mas estruturas discursivas bastante distintas, que convergiam para o encontro de acordes e melodias, no intervalo entre o sétimo e o décimo trastes. O resultado ganhou selo de satisfatório, e Cozid pôde então levantar-se, visivelmente cansado, para ir preparar um café. Enquanto a chaleira aquecia sobre o fogão, pensou na terceira seção da peça, seu próximo desafio. Nela, emoções de fundo lírico deveriam combinar-se a elementos de audácia experimental. O café foi sendo sorvido com preocupação até que a caneca estivesse seca.

Era noite quando Cozid conseguiu focar na terceira seção da peça. Alguns dias haviam transcorrido desde o término do diálogo entre os dois lados do violão. O momento, agora, era de concentração numa sonoridade pungente, capaz de levar o ouvinte a identificar a angústia das paixões, em seu balé entre a esperança de frescor eterno e o temor de deterioração e fenecimento. A lua ainda emanava luz prata, embora sua fase minguante tivesse já começado. Sentado na varanda sob o agasalho de um velho casaco de lã cinza-escuro, Cozid aproveitou o influxo do luar para inspirar-se e, assim, lograr avançar sobre a parte C, com sua fórmula de compasso em 6/8. Em breve, vieram-lhe ideias para o tema a ser exposto no começo da seção. Passou, então, a desenvolvê-lo ao longo de alguns compassos e, de repente, sentiu ser necessária uma interrupção brusca, quando entrariam os elementos experimentais, provocando a perplexidade do ouvinte. Cozid recorreu a um *rasgueado* sobre o décimo segundo traste para marcar o corte do discurso lírico e melancólico inicial. A seguir, vieram compassos contendo silêncios e sons de estalos, produzidos por tirões nas cordas, juntamente com harmônicos naturais e artificiais. Então surgiu-lhe a inspiração para um solo curto, retomando o discurso lírico, que executou entre a décima e a décima terceira casas, descendo e subindo até os sons mais altos, para em seguida descer transversalmente até o grave da décima sétima casa, um lá sobre a sexta corda. O som do lá extraído naquele ponto do braço desagradou Cozid. Era como se faltasse algo. Corpo. Personalidade. Não sabia dizer ao certo, mas algo faltava. Exausto, decidiu parar por ali e foi dormir.

Acordou de madrugada, sem poder conciliar o sono. O som precário daquele lá não lhe saía da cabeça. Como seguir com a peça naquelas condições? Todo o belo fraseado do solo que criara ficava comprometido ao finalizar naquele lá, decepcionante aos ouvidos. Sua qualidade sonora simplesmente não estava à altura da sequência de notas que o precedia, para a qual deveria servir de fecho. Talvez o problema se devesse à construção do instrumento. Cozid sempre gostara do violão que o acompanhava fazia vários anos, mas sabia que havia melhores, e bem mais caros que o seu. Não poderia pagar por um novo, nem aguardar meses para que um *luthier* o confeccionasse. Se fosse trocar o seu instrumento teria que ser por outro usado, em bom estado de conservação. Embalado por tal ideia, ligou o computador e começou a pesquisar as opções disponíveis no mercado. Depois de uma hora de pesquisa, concluiu que não tinha dinheiro suficiente para o investimento.

Teria que vender o seu violão para poder comprar outro que fosse melhor. Não importava. Urgia dar solução ao problema que o afligia naquele momento.

Encantou-se com um instrumento excepcional, cujo preço se situava ligeiramente acima de suas possibilidades. Tratava-se de um Hidalgo & Hijos, violão fabricado por reconhecido *luthier* espanhol. O modelo novo custava em torno de oito mil dólares estadunidenses, uma pequena fortuna. O que estava no anúncio saía por sete mil reais. Pelas fotos exibidas no *site* de vendas, o exemplar parecia bem conservado. As únicas imperfeições visíveis eram irregularidades no verniz do tampo de cedro, fato normal num instrumento usado, e um pequeno orifício, de diâmetro não maior que o de um lápis, localizado sobre a lateral superior, num ponto perpendicular à clavícula do violonista. O orifício não o incomodava, pelo contrário, pois poderia vir a ser transformado em segunda abertura para a saída do som, em linha com tendência seguida por vários *luthiers* contemporâneos. Cozid apressou-se em anunciar o seu violão no mesmo *site*, por preço inferior à metade do Hidalgo. Não seria difícil vendê-lo, pois era um bom instrumento e o que tencionava pedir por ele era bastante razoável. De fato, em dois dias o violão foi vendido, rendendo a Cozid dois mil e quinhentos reais. Ficavam faltando quatro mil e quinhentos para chegar ao valor do Hidalgo. Suas economias, acumuladas ao longo dos últimos anos, montavam a três mil e oitocentos. Teria que descobrir uma maneira de cobrir os setecentos reais da diferença. Recordou, então, das ocasiões em que tocara no bar do Braga, que lhe haviam rendido uns bons trocados para a compra de cordas novas e partituras. Era isso. Não havia tempo a perder. Trocou de roupa depressa e lançou-se porta afora. Tinha negócios a tratar.

Chegou no bar por volta das cinco da tarde sem o violão, já vendido. O dono do local, Juraci Braga, cuidava de organizar o espaço, pois o público começaria a engrossar a partir das seis e meia. "Quem está vivo sempre aparece!", exclamou ele. "Olá, seu Juraci", respondeu Cozid. "Cadê o violão?", perguntou o comerciante. A seguir, em tom provocativo: "Não me diga que abandonou a música!?" "Em absoluto", retrucou Cozid, "sigo firme na profissão. Inclusive, estou preparando um recital, que terá uma peça composta por mim." "Então vai ser bonito", disse o Braga. E emendou: "Se está aqui, imagino que o motivo seja trabalho." "Exatamente", confirmou Cozid. "Está com sorte, Saïd, o bar não tem tido música ao vivo nas últimas duas semanas, e não temos nada agendado nos próximos dias." A negociação foi relativamente fácil. Cozid tocaria quatro noites pelos setecentos reais, mais um prato de comida por noite. Seriam duas sextas-feiras e dois sábados. Duro foi convencer o Braga a desembolsar o valor todo adiantado. Ao final, cedeu, pois gostava do rapaz. "Mas não me venha só com MPB e música instrumental, que a clientela gosta mesmo é de batucar um sambinha na mesa." "Pode deixar, seu Juraci", assegurou Cozid, "já conheço o público aqui do bar. Então, vejo o senhor na próxima sexta. Até lá!"

Cozid voltou correndo ao apartamento, ligou o computador, entrou no *site* de vendas, e viu que o anúncio do Hidalgo não havia saído da página. Sem nem mesmo suspirar de alívio, fechou a compra. O instrumento chegaria pelo correio em, no máximo, cinco dias. Agora, precisaria conseguir um violão para tocar no bar do Braga na próxima sexta-feira e no sábado. Como era professor na escola de música do bairro onde morava, falaria com a diretora para que lhe emprestassem um instrumento na sexta, sob o compromisso de ser devolvido tão logo possível. Os violões da escola não eram grande coisa, mas quem se importava? Era para tocar no bar do Braga.

Na sexta-feira, pontualmente às sete da noite, Cozid apresentou-se no bar empunhando um violão de trezentos e cinquenta reais, que trazia, etiquetado nas costas, o nome da escola: "Pendor Musical". Após cumprimentar o Braga e os garçons, foi testar os microfones que fariam a captação do som do instrumento e da voz. Começaria com a música às oito, alternando sambas clássicos, pagodes e canções de sucesso do gênero sertanejo. Depois de uma hora, viria um intervalo de 20 minutos. Na segunda entrada, tocaria forrós, baiões e frevos, para então finalizar com mais dois ou três sambas. Procurava, sempre que possível, escolher peças que houvessem sido gravadas por músicos consagrados, como forma de assegurar a qualidade do repertório. O trabalho do violão seria, basicamente, o de acompanhamento. Portanto, teria que caprichar na parte vocal. Embora não fosse grande cantor, dava conta do recado. Além do mais, quem se importava? Era para cantar no bar do Braga.

A primeira parte da apresentação ia pela metade, os fregueses batiam o ritmo do samba no tampo das mesas, nas garrafas e nos copos, quando ele notou a jovem, de cabeleira crespa e corpo delgado, levantar-se para dançar. Seus movimentos suaves eram executados com graça, sem que ela se afastasse da mesa onde estava reunida com meia dúzia de amigos. Cozid embaralhou dois acordes e remendou em seguida, como se nada houvesse acontecido. Mas havia.

Durante o intervalo, ele tentou, em vão, dominar seus olhos para que não perseguissem a moça. O máximo que conseguiu foi olhá-la de soslaio, enquanto fingia examinar o violão, como querendo identificar algum problema ou defeito. De repente, sentiu o coração dar um pinote ao vê-la, afastando-se da mesa, caminhar em sua direção. Simulando afinar o instrumento, ouviu-a dizer, em voz firme e doce: "Parabéns, você toca muito bem." "Obrigado", respondeu ele, despachando um olhar breve, meio enviesado, de forma a demonstrar que a prioridade de sua atenção era conferida à tarraxa da primeira corda, a qual devia ser afinada em mi, mas já andava em sol sustenido. "Se puder, cante 'Carinhoso', por favor." E arrematou o pedido: "Eu gosto muito..." "Claro", afirmou Cozid, quase sem perceber o sorriso desferido no instante em que ela volteava o corpo para regressar à mesa.

A segunda parte da apresentação começou com "Carinhoso". Na mesa, ela virou monossilábica, para que sua atenção não se desprendesse da música. Ao término da canção encomendada, Cozid cantou "Pétala", de Djavan. De trás do balcão, Braga passou-lhe um recado, com olhar penetrante e cenho franzido. Ao final de "Pétala", a moça aplaudiu. Ele deveria, no entanto, forçosamente, retornar à programação musical da noite, passando agora a um forró. "Esperando na janela", de Gilberto Gil, foi o escolhido, com o intuito de não romper a sequência romântica: "Ainda me lembro do seu caminhar/Seu jeito de olhar, eu me lembro bem/ Fico querendo sentir o seu cheiro/É daquele jeito que ela tem...". Depois de outras duas canções, o grupo em que estava a garota levantou-se e deixou o bar. Ela foi junto. Porém, pouco antes de sair, enviou um olhar de agradecimento ao artista.

No transcurso do dia seguinte, Cozid não conseguiu se concentrar em nada. Mal se acomodava na varanda, já lhe vinha o desejo de levantar-se e caminhar, e aí se punha a dar voltas no espaço exíguo da saleta. Tinha que continuar a compor "Varandeana". Tinha que seguir treinando o repertório de seu futuro recital. Tinha que ensaiar o programa a ser tocado naquela noite de sábado, no bar do Braga. Tudo isso tinha que ser feito, entretanto ele só pensava na jovem de tez cor de madeira, comparável à dos veios que tecem desenhos no palissandro, também encontrável em matizes do mogno, materiais presentes na fabricação dos violões. Precisava revê-la. Era urgente. Voltaria ela ao bar do Braga? Quando? Tudo o que podia fazer, no momento, era imaginar que ela estaria lá para ouvi-lo tocar novamente.

A programação de músicas daquela noite continha algumas diferenças em relação à anterior. Sua estrutura, no entanto, era similar. Pensando na garota, Cozid havia incluído alguns sambas-canções no programa, assim como duas ou três baladas da MPB. Porém, não havia sinal dela no bar do Braga. A primeira parte da apresentação já se encaminhava para o final, quando um Cozid abatido reparou na bela jovem que adentrava o recinto, acompanhada de duas moças e um rapaz. Era ela! Desta feita, não trajava calça justa, mas minissaia *jeans* e blusa amarela sem manga. Nos pés, sandália de tecido azul-cobalto, trançada no tornozelo. Trazia o cabelo puxado para cima, em penteado ao estilo afro. Cozid controlou-se; não queria perder o foco na performance. Deveria manter a tranquilidade, de modo a impressioná-la por meio da música. Ao final da primeira seção do programa, mirando nela o olhar, anunciou que tocaria uma peça de Baden Powell para violão solo: "'Valsa sem nome', para alguém cujo nome não sei…"

Depois da canção, veio o intervalo de 20 minutos. "Linda a 'Valsa sem nome'", disse a jovem, enquanto Cozid depositava o violão no suporte vertical. "Aliás, o meu nome é Valsípide, mas todo mundo me chama de Val." "Interessante", observou ele. "Seu nome tem a ver com valsa, não é mesmo?" "Sim, o meu pai é violonista amador e adora valsas. Por isso, colocou esse nome diferente em mim. E você, é o Cozid?" "Sou, mas esse é o meu sobrenome. Pode me chamar de Saïd." E continuou: "Ontem, depois do pedido que me fez, não voltamos a nos falar. Você gostou da minha versão de 'Carinhoso'?" "Sim", afirmou Val, "amei todas as canções que tocou para mim." "Então você sabia que 'Pétala' foi para você", perguntou Cozid, "assim como 'Esperando na janela'?" "Acho que você deixou isso bem evidente", disse ela, sorrindo. Trocaram mais algumas palavras e Val se despediu para deixá-lo à vontade, pois ainda faltava a segunda parte da apresentação. Combinaram de continuar a conversa quando Cozid encerrasse os trabalhos da noite.

Uma hora mais tarde, Val cumpriu a promessa e convidou o músico para que viesse sentar à sua mesa. Ele acertara com o Braga para trocar o prato de comida, parte do pagamento, por uma porção de batatas fritas e três cervejas, que compartilhou com ela. A conversa foi longa. Val nutria um grande interesse por música, seu gosto abrangia vários estilos. De todos os instrumentos, o seu predileto era o violão, e adorava recitais, quer fossem de variante clássica ou popular. Para surpresa de Cozid, Val sabia que várias peças de autores brasileiros para violão solo, tradicionalmente classificadas dentro do gênero popular, passavam, agora, a ser admitidas em recitais de música erudita. Era o caso de obras de autores como Dilermando Reis, João Pernambuco, Baden Powell, Marco Laranjal, entre outros. Nessa altura da conversa, quando tomavam a terceira cerveja, Cozid revelou que preparava um recital de violão, com repertório majoritariamente brasileiro.

Val quis logo saber detalhes do programa. Ao ser informada que o recital encerraria com uma peça composta pelo próprio Saïd, chamada "Varandeana", Val entusiasmou-se: "Meu Deus, uma peça sua, fechando um repertório que deve ser pra lá de maravilhoso! Quero muito ouvir esse recital! Aliás, quero ser a primeira pessoa a ouvir esse recital. Você aceitaria fazer uma pré-estreia? Quando? Vamos marcar logo, que eu sou super curiosa, não costumo deixar nada para amanhã." Sem nenhuma vontade de recusar a oferta de encontro que Val lhe fazia, Cozid marcou o recital varandístico para o sábado seguinte, às 17 horas. Depois, se ela quisesse, iriam juntos para a última das quatro apresentações dele no bar do Braga.

A perspectiva feliz do encontro com Val fez-se acompanhar de considerável ansiedade, e Cozid passaria o domingo atormentado pelo compromisso assumido. Recriminava-se por haver concordado com aquela exibição prematura. Onde estava com a cabeça quando aceitara realizar, dentro de sete dias, algo projetado para acontecer somente em um ano, ou dois? Como poderia causar boa impressão se o repertório ainda não estava plenamente dominado? O que faria com a sua peça, conseguiria terminá-la em tempo? E o violão que comprara, seria entregue conforme o prometido? Diante de tais dúvidas, todas as antigas questões acerca do recital deixaram de incomodá-lo. Havia, agora, apenas três coisas com que se preocupar ao longo da semana: estudar o repertório do recital, terminar a sua peça, e torcer para o violão novo ser entregue dentro do prazo.

As obras do repertório foram todas diligentemente estudadas por Cozid nos dias que se seguiram. Para garantir dedicação em tempo completo, suspendeu, por uma semana, as aulas na escola de música. Embora implicasse desconto de salário, a medida lhe permitiu devotar, diariamente, uma hora inteira a cada uma das peças do programa. Ao anoitecer, Cozid encarava o desafio de concluir sua peça autoral. Como não conseguisse avançar além do ponto em que havia parado, decidiu deixar, por ora, a parte C por terminar e saltar para a quarta e última parte da peça. Na seção A', as ideias da parte A deveriam ser recapituladas, porém com inovações. Em tese, o trabalho aí seria mais fácil, pois em certa medida já estava feito. Tal previsão, contudo, não se confirmou. Em certo momento, Cozid achou que havia encontrado o rumo certo para a composição da parte A', mas descobriu que as ideias que tinha não se sustentavam. Tudo soava aquém do desejável. Para cúmulo do desespero, nada ainda do Hidalgo, cujo prazo de entrega vencera na véspera. Considerar a hipótese da pré-estreia do recital sendo executada no violão de trezentos e cinquenta reais, da Pendor Musical, era algo que o aterrorizava.

Na sexta-feira, quando já havia recebido aviso do correio de que sua encomenda somente seria entregue na outra semana, Cozid atendeu um telefonema de Valsípide, para confirmar o compromisso. Cozid explicou-lhe as dificuldades que vinha enfrentando. Na visão dela, no entanto, não havia razão para desespero. Seu pai possuía mais de dois violões, e ela poderia levar-lhe um para a audição, o qual, seguramente, seria melhor que o da Pendor Musical. Quanto à inconclusão de "Varandeana", ela não se importaria de ouvir a peça tal como estava. Cozid ponderou que tocá-la naquele estado era um tanto constrangedor para ele. O corte abrupto, em meio à terceira parte, lhe parecia comparável a uma amputação. Val respondeu que mesmo os amputados podem viver plenamente, como se nada tivessem perdido. "Não entendo como", exclamou Cozid. "Se você sente a interrupção da sua peça como um corte", disse ela, "apenas confie no poder regenerador da criatividade." "Espere um pouco", tornou ele, "você falava dos amputados, que alguns podem viver como se nada tivessem perdido. Mas o tecido das partes amputadas não se regenera para formar novos membros. A comparação, portanto, não se aplica", concluiu. "Tem razão", afirmou Val, "o tecido não se regenera no plano biológico, é o espírito quem cuida dessa regeneração, fazendo a pessoa voltar a viver plenamente, como se nada lhe faltasse. Esse é o milagre da espiritualidade. Você a tem, eu, todo mundo. Basta só desenvolvê-la." Cozid absteve-se de retrucar, desconcertado com a resposta, e manteve o compromisso conforme agendado.

Val bateu à porta do apartamento na hora marcada. Trazia com ela o violão de seu pai, acondicionado em estojo com ares de antiguidade, que logo passou às mãos do anfitrião. Ao examiná-lo, Cozid exultou: "É um Giannini modelo Clássico, de 1973. Isto aqui é uma verdadeira joia: tampo de pinho sueco, fundo e laterais de jacarandá da Bahia. E está muito bem conservado." "Sim", disse ela, "o meu pai é bastante cuidadoso com os violões dele." "Pelo visto, ele deve ter sido o único dono dessa preciosidade", falou ele. "De fato", respondeu Val, "foi presente de aniversário dos padrinhos, quando era adolescente." "Incrível!", exclamou Cozid, extraindo os primeiros sons do instrumento. "Me surpreende que seu pai tenha concordado em emprestá-lo a um desconhecido", observou. "Bem", disse ela, esboçando um sorriso maroto, "tive que usar bons argumentos…" "De minha parte", declarou Cozid, um tanto solenemente, "posso lhe assegurar que será uma honra fazer esta pré-estreia exclusiva para você, tocando no violão do seu pai." A seguir, acomodou-a no sofá de dois lugares e, da soleira da varanda, de frente para ela, deu início ao recital.

O que se seguiu foram momentos de puro encantamento. Val desfrutou da audição a partir do lá inicial de "Valseana", produzido com a quinta corda solta, até o lá do final provisório de "Varandeana", executado sobre a décima sétima casa da sexta corda. Estremecimentos, sofreu vários. Em diferentes partes do "Prelúdio nº 1", de Villa-Lobos, nas transições rítmicas de "Sunburst", de York, em certo momento da "Bagatelle nº 5", de Walton, na segunda seção de "Varandeana", ao emergir o diálogo entre ambos os lados do braço do violão... Admirou-se da beleza do "Estudo nº 7", do genial Villa. Sentiu a alma alegrar-se, efusivamente, ao escutar "Barraco em Planaltina", de Marco Laranjal. E foi, sem dúvida, às lágrimas com "Valseana". Na terceira parte de "Varandeana", quando sentiu que novamente se emocionava, sobreveio a abrupta interrupção. Antes mesmo que Cozid pudesse desculpar-se, sem graça por não haver podido terminar sua peça, assim como por um ou outro deslize na execução do repertório, já eclodia o aplauso caloroso de Val, que exultava. Era ostensivo o seu estado de maravilhamento. Feliz com aquela reação, que superava em muito suas expectativas, Cozid ofereceu um café ao público presente, o qual foi servido na caneca de louça, para ela, e, para ele, num copo de vidro. Açúcar não lhes fazia falta.

Val declinou com elegância o convite de Cozid para acompanhá-lo ao bar do Braga. Segundo ela, depois do que acabara de ouvir ali, qualquer outra música soaria indigesta aos seus ouvidos. Precisava levar consigo, impoluta, a experiência do recital varandístico. Tomando aquilo como elogio, Cozid não se importou com sua desistência. Quando se despediam, quis devolver-lhe o Giannini, mas ela recusou. "Consegui autorização de meu pai para deixá-lo aqui, sob seus cuidados", informou Val, "até a chegada do seu violão novo". "Quanta amabilidade", declarou Cozid, surpreso. "Mas tem uma condição para o empréstimo", agregou a moça. "Assim que você terminar de compor a sua peça, terá de ir até minha casa, executá-la completa para mim e meu pai." "Fechado!", respondeu ele, a um só tempo sensibilizado e entusiasmado com a obrigação.

Ao longo da semana seguinte, Cozid voltaria à carga para terminar "Varandeana". Logo na segunda-feira, o correio batia à porta para fazer-lhe a entrega do Hidalgo. Era um violão de som profundo, feito com tampo de cedro e jacarandá indiano, todo ele mais escuro que o Giannini. Depois de afiná-lo, Cozid correu logo à décima sétima casa e golpeou a sexta corda. O som produzido correspondia exatamente ao que ele esperava. Abraçou o instrumento, beijando-o com genuína emoção. Acabava de encontrar um novo companheiro, e essa relação prometia durar por muitos anos. Nesse mesmo dia, Cozid avançou em sua composição, até o ponto de concluir a parte C, que tinha sido interrompida naquele abominável lá. Em seguida, atacou a parte A', para a qual surgiram ideias alegres, que o fizeram mudar de tonalidade, passando de fá sustenido menor para lá maior. Ao retomar os motivos melódicos da primeira parte, agora aplicados sobre a tonalidade maior, a peça ganhava novo colorido, intensificado pela introdução de algumas variações melódicas e sutilezas rítmicas que levavam a obra a um fecho empolgante e surpreendente. Cozid levantou-se de um pulo, e com três passadas venceu a distância que o separava da minúscula cozinha. Abriu o armarinho suspenso, inclinando o corpo, e agarrou a caneca, para preparar-se um café. Enquanto esperava a água aquecer dentro da chaleira, admirou longamente a caneca, fazendo-a girar diante dos olhos, e invejou a sorte daquele objeto, que recebera o aperto dos lábios sensuais de Val...

Com a água fervendo na chaleira há alguns minutos, Cozid combinava, pelo telefone, a visita que faria à casa da moça, a fim de devolver o Giannini e tocar a peça que acabara de concluir. Ficaram acertados para o sábado da outra semana, o que lhe daria tempo suficiente para fazer as revisões de praxe e ensaiar a peça.

Na data marcada, Cozid apresentou-se à família de Val pontualmente às 18 horas. O pai, bancário em vias de aposentar-se, recebeu-o com simpatia. "E então, chegou o seu violão novo?", perguntou ele. "Sim, seu Claudionor, agora já está tudo bem. Trouxe de volta o seu Giannini, que é uma verdadeira pérola. Parabéns pela excelente manutenção! E muito obrigado pelo empréstimo, me foi de grande valia." "De nada, rapaz. Val me falou muito bem dos seus dotes artísticos. Estou ansioso para escutá-lo tocar no meu violão. Vamos andando para a sala de estar", convidou ele, "lá estaremos mais cômodos." No centro da sala havia uma banqueta e uma estante para apoiar partituras, desnecessária na ocasião. Logo chegou a mãe da moça, junto com outros membros da família. Val instalou-se diante de Cozid, ligeiramente à direita. O pai, justo em frente a ele, entre a mulher e a filha. Empunhando o Giannini de 1973, Cozid explicou que tocaria o "Estudo nº 7", de Villa-Lobos, como aquecimento, e logo depois apresentaria a peça de sua autoria, intitulada "Varandeana".

Ao final da apresentação, todos aplaudiram. Seu Claudionor confessou-se impressionado, afirmando que aquelas eram as músicas mais incríveis já tocadas no seu violão. Val olhava para Cozid com admiração e orgulho, enquanto ouvia sua mãe convidá-lo para jantar com a família. Instantes depois, todos voltavam a seus afazeres domésticos. A mãe e a avó foram para a cozinha, cuidar do que seria servido mais tarde. Seu Claudionor deu uma desculpa qualquer e retirou-se.

Quando ficaram a sós, Val olhou firme para ele e perguntou: "Foi difícil a regeneração?" Encarando-a de volta, Cozid respondeu: "Mais fácil do que eu podia imaginar." "E quando será a estreia do recital?", indagou ela. "É bom que seja logo, você já sabe que não consigo esperar muito." "Do jeito que a coisa caminha", disse ele, "em dois ou três meses, no máximo." Os dois aproximaram os seus sorrisos, e Saïd Cozid não mais precisou invejar a sorte de sua caneca.

Sincronicidades

Depois de *Megaegos*, o Dr. Raul Reis sentira-se desorientado. Investira muita energia, trabalhara com grande afinco para dar corpo à obra. Entretanto, passado algum tempo desde sua publicação, vira-se na contingência de ter que lidar com sentimentos contraditórios. *Megaegos* não fora o sucesso que havia, mais do que esperado, acreditado que seria. Mas, mesmo à falta de aplauso ruidoso, o Dr. Reis continuara a crer, amparado na esquálida fortuna crítica suscitada pela publicação, que a leitura de *Megaegos* afigurava-se altamente, e amplamente, recomendável, sobretudo ao ter-se em conta seu insólito potencial explicativo sobre a realidade político-social do país, que para muitos seguia sendo complexa e desalentadora. Por isso mesmo, o Dr. Reis não entendia por que o livro não se firmara como remédio cognitivo entre o grande público. Naquelas mais de quinhentas páginas, o psicossociólogo, como gostava de autodenominar-se, traçara, no plano teórico, o perfil de boa parte da elite nacional. O fato de haver desenvolvido o conceito de conarcisismo e tê-lo aplicado aos setores político e empresarial constituíra passo ousado, fundamental para a estruturação do trabalho. Para quem lesse *Megaegos*, a matriz dos problemas nacionais se revelava de forma clara, residindo na personalidade malformada para a vida pública e o interesse coletivo de ampla parcela de líderes. Além de descrever, minuciosamente, essa personalidade conarcísica em todos os seus traços gerais e possíveis variantes particulares, a obra também analisava o processo de sua metamodelagem social, a partir do conceito de "bolha megaegogênica". Correspondendo a um formato específico de espaço ecossociológico, a bolha megaegogênica permitia que os megaegos em formação se desenvolvessem com segurança, expandindo sua identidade narcísica e reproduzindo valores (em sentido tanto figurado quanto literal) e visões de mundo, num processo coletivo de construção e afirmação identitária. Ao mesmo tempo, o ambiente da bolha estimulava a metamorfose, ou transmutação, da personalidade narcísica em conarcísica. Sua eventual ruptura, por força de intensas pressões sociais ou algum desastre econômico avassalador, representava pesadelo de contornos paranoicos para o grupo, cujo objetivo primordial era a proteção e perpetuação da bolha, juntamente com sua população de megaegos.

Como, perguntava-se o Dr. Raul Reis com inconformada perplexidade, podia o público afeito às obras de não ficção no campo das ciências humanas simplesmente deixar de tomar nota de *Megaegos*? Não estava, acaso, esse público em busca de esclarecimento? Ou não seria, quem sabe, verdadeiramente genuína a ânsia contemporânea por modelos explicativos fundamentados? Talvez o descaso por *Megaegos* indicasse que o público preferia, agora, receber comodamente apenas pílulas informativas em forma de sons e imagens, passíveis de serem descartadas no imenso estuário virtual onde vão desaguar os materiais eletrônicos tidos como obsoletos. E, no entanto, permanecia fato incontestável – embora em grande parte ignoto, é verdade – que à página 93, capítulo 2, de *Megaegos*, emergia com magistral elegância e brilhantismo o conceito de conarcisismo, capaz de prover resposta a carradas de dúvidas e questionamentos acerca da dinâmica das relações de poder subjacentes à ordem político-social brasileira, quiçá mundial.

Toda e qualquer situação de ordenamento social pressupõe capacidade de ligação de indivíduos com outros indivíduos, formando coligações que, ao fim e ao cabo, conferem coesão à sociedade. Um megaego, contudo, é um ente dotado de baixíssima capacidade de ligação – ou valência, para usar um termo das ciências naturais. Suas ligações tendem a ser poucas, instáveis e verticalizadas. Se, por um lado, o megaego, em razão de suas faculdades políticas e/ou empreendedoras, tende a acumular poder, por outro, devido a traços psicológicos ultranarcísicos, tende a perdê-lo por não saber lidar com o peso seja das imperfeições dos outros, seja de uma ordem de coisas que o precede e, essencialmente, não depende unicamente dele para subsistir. Assim, embora se suspeitasse que uma legião de megaegos poderia constituir fator explicativo de relevância para o inconsistente e decepcionante desenvolvimento nacional, não se podia, à vista da baixíssima valência do megaego, aceitá-lo como elemento estruturador da ordem social. Como bem diz o ditado, andorinhas solitárias não fazem verão. O desenvolvimento do conceito de conarcisismo viria, justamente, dar solução a esse dilema teórico.

Imagine-se uma tribo primitiva, com um conselho tribal chefiado por um megaego. Sem muito esforço, podemos vê-lo ao solo, sentado ou de cócoras, com seu fiel cão de caça ao lado, diante de uma meia-lua de outros membros da tribo com direito a voz. Na discussão, o megaego, regido por sua personalidade ultranarcísica, apenas aceitaria opiniões coincidentes com as suas próprias. Fosse ele suficientemente forte para assegurar sua posição de líder máximo, as decisões do grupo estariam condenadas a espelhar, invariavelmente, as suas convicções pessoais. Nesse ambiente político impermeável a críticas, em que sugestões de mudança de rumos configuram ofensa grave, qualquer erro sério de avaliação do megaego poderia trazer dificuldades para a subsistência do grupo e, mesmo, levá-lo à extinção. Num salto de séculos, ou milênios, imaginemos, agora, uma reunião de diretoria numa grande corporação empresarial, ou num gabinete da alta hierarquia política. Cá está o nosso megaego, à cabeceira da mesa, presidindo a reunião, tendo a seu lado o inestimável *smartphone*, ou *tablet*, ou *notebook*, conectado ao universo virtual (alguns megaegos continuam a não dispensar o cachorro, ainda que disfarçado de humano). Caso detenha suficiente poder de comando, as decisões da diretoria refletirão sua visão pessoal sobre os problemas discutidos. No entanto, assim como no passado primitivo, seus erros poderão implicar dificuldades para a empresa, ou para a coletividade afetada por tais decisões. Embora a capacidade moderna de acumular reservas de riqueza confira maior segurança e resistência aos grupos humanos e suas instituições, ainda assim decisões equivocadas continuam capazes de provocar a desestabilização de empresas, ou produzir efeitos nefastos sobre a população, ao ponto de colocar em risco a solvência econômica, no caso das empresas, ou piorar as condições gerais de existência em uma determinada coletividade humana.

No entanto, é mister ter-se bem presente, conforme gosta de enfatizar o Dr. Reis, que, no universo conarcísico, o megaego não atua isoladamente. Conta com a parceria de vários outros megaegos, formados, tal como o primeiro, no interior da bolha megaegogênica. A partir do compartilhamento de valores e visão de mundo megaegocêntricos, os megaegos se reconhecem como iguais no plano psicológico, mesmo que certo grau, ou sentido, de hierarquia seja costumeiramente atribuído às diferentes funções que desempenham na estrutura social. Essa identificação primordial, classificada como "conarcísica primária", resulta na formação de um espírito de confraria entre os megaegos que os faz permeáveis aos *inputs* de seus pares, tornando desnecessário o recurso à coerção e anulando, ou reduzindo em muito, o potencial desagregador do uso da força. Com isso, as realidades histórico-sociais foram tornando-se mais estáveis e adquirindo maior consistência, o que lhes possibilitou, com o tempo, um fenomenal incremento de complexidade.

Um dos aspectos dessa evolução seria a obsolescência do antigo conceito de classe social, já não aplicável a sociedades contemporâneas, em que a política e a economia encontram-se regidas com base no consenso conarcísico ampliado dos megaegos. Isto porque a parceria gerada pela identificação conarcísica, tratando-se de fenômeno psicossocial, transcende a dimensão estritamente socioeconômica. Embora os megaegos constituam um produto coletivo, cuja formação – como se recorda – se dá exclusivamente no espaço ecossociológico da bolha megaegogênica, a identificação conarcísica pode ocorrer, como de fato se verifica com enorme frequência, em indivíduos que não são, de fato, megaegos, ou possuem traços incompletos, apenas evocativos, da personalidade megaegocêntrica. Tais indivíduos, detentores de personalidade comum ou de variante híbrida, podem estabelecer conexões conarcísicas com os megaegos integrais, nas quais projetam uma imagem idealizada de si próprios – o *dreamself*, na linguagem técnica empregada pelo autor. Conexões desse tipo são classificadas como "conarcísicas secundárias". Portanto, o porteiro do prédio, a faxineira do edifício, o entregador de pizza, a balconista da loja, o garçom do restaurante, a caixa do supermercado, e assim por diante, podem estabelecer conexões conarcísicas secundárias com os megaegos, bastando, para isso, projetar uma valência espectral que os liga, virtualmente, ao universo megaegocêntrico. Desvanece-se, assim, o que costumeiramente se entendia como classes sociais, ante a capacidade do sonho, da fantasia, do delírio, de estabelecer ligações psicossociais suficientemente coesivas e duradouras, em grau e medida superiores aos dos interesses materiais supostamente comuns a esse ou aquele estrato social.

Uma vez de posse de tais ferramentas conceituais, como não perceber que a realidade objetiva vem, em grande medida, sendo fabricada há séculos pelo esforço coordenado de megaegos, com base no potencial de entendimento criado no plano subconsciente por um conjunto de personalidades conarcísicas? E mais: a observação da macrorrealidade contemporânea estaria apontando para tendência de expansão agigantada desse processo por meio da conjunção transfronteiriça de bolhas megaegogênicas, que cada vez mais se interpenetram e se fundem, num ritmo acelerado, em escala planetária.

No capítulo imediatamente anterior ao epílogo, ao discorrer sobre as tendências contemporâneas à luz dos conceitos apresentados, o Dr. Reis analisou os possíveis contornos de um mundo governado a partir de uma única bolha megaegogênica global. Eventualmente, segundo ele, uma de duas macrotendências virá a prevalecer. Na hipótese mais otimista, continuarão a se aprofundar, por tempo indeterminado, os traços de um crescimento econômico desigual nos diversos países e regiões do globo, calcado num consenso conarcísico cada vez mais ampliado. Em tal cenário, os megaegos ocupantes dos postos mais elevados de poder terminarão por levar sua autoindulgência ao paroxismo. Cada vez mais insensíveis aos diferenciais qualitativos das condições objetivas de existência, os megaegos vão, em sua "viagem conarcísica", dissociar-se do sofrimento alheio até atingir um ponto crítico, no qual processo de acelerada ruptura das conexões conarcísicas secundárias deverá tornar-se inevitável. A dissolução em série de tais projeções conarcísicas fará com que extensos contingentes populacionais se vejam não apenas confrontados com uma enorme dose de frustração, mas também subitamente desamparados. Nesse contexto traumático de dissolução do *dreamself* e consequente esgotamento da capacidade autoilusória coletiva, surtos de convulsão social ocorrerão, em grau e amplitude variável, com resultados dificilmente previsíveis. Uma das possibilidades, sem dúvida a mais temível para os megaegos, seria a destruição da bolha megaegogênica, acompanhada de profunda transformação psicoideológica da humanidade. Nessa conjuntura hipotética, os comportamentos característicos do conarcisismo e do megaegocentrismo, enfim despojados de sua legitimidade ancestral, passariam a ser considerados como ilegais e criminosos, e os megaegos seriam levados à prisão, ou mesmo executados, ou então submetidos a tratamento psiquiátrico compulsório, a depender do tipo de sistema político-social implantado. Uma vez livre dos megaegos, ou pelo menos de seu controle, o mundo perderia, por tempo indeterminado, o dinamismo de seu progresso técnico-econômico; em contrapartida, os laços afetivos tornar-se-iam mais fortes e genuínos entre indivíduos e grupos, surgiriam múltiplos núcleos de poder, de menor dimensão e de estrutura polimórfica, e a criatividade viria a ganhar grande impulso, o que talvez pudesse gerar diferentes correlações de forças nos vários níveis geopolíticos, novas pautas para o trabalho científico, e colocar a civilização no caminho de um desenvolvimento mais compassado, equilibrado e saudável.

Na hipótese pessimista, os megaegos vão experimentar processo de fortificação e aprofundamento da consciência conarcísica, responsável por sua autorrepresentação como ícones e vetores, a um só tempo, das capacidades e excelência humanas. A consequência mais benéfica para os megaegos, assim como prejudicial a todos os demais (estimados em cerca de 98,7% da população mundial), seria a manipulação da moral pública e das leis de modo a se permitir o uso calculado de tecnologias de ponta para produzir uma elite composta por indivíduos de características super-humanas. Tal grupo de superdotados corresponderia, não resta dúvida, aos megaegos e seus descendentes. A partir daí, a humanidade caminharia, cindida, rumo à conformação de duas espécies: aquela dotada de faculdades superiores, e a outra. Para conduzir esse processo e levá-lo a bom termo, os megaegos acenariam com concessões parciais aos setores com eles identificados por meio das conexões conarcísicas secundárias. Aos indivíduos a eles coligados, dotados de renda média ou modesta, tratariam de facilitar o acesso a alguns traços físicos, apenas cosméticos, de corte popular, tais como a programação genética de olhos claros, cabelos lisos, lábios carnudos, coisas do tipo. Para os coligados de renda mais elevada, outras características seriam tornadas acessíveis, talvez altura, vigor físico, resistência a certas moléstias... Para os megaegos, contudo, o céu seria o limite, podendo-se imaginar coisas como a programação genética de quocientes astronômicos de inteligência, imunidade a todas as doenças conhecidas, acuidade permanente dos cinco sentidos, retardo do processo de envelhecimento, isso para não falar do eventual acoplamento de partes cibernéticas ao corpo orgânico. Estaria, assim, materializada a utopia da raça superior, reinando absoluta, incontrastada e inquestionada, de cima de seu pedestal de mármore, sobre largos tratos comezinhos da humanidade.

Para aquele leitor que chega ao final do livro, o epílogo de *Megaegos* reserva uma pílula de esperança. É teoricamente possível, nos diz o Dr. Reis, lograr-se desestabelecer as conexões conarcísicas secundárias a partir de um paulatino processo de "desilusionamento". Seja na modalidade individual ou na coletiva, o "desilusionamento", efetuado por meio de terapia de novo tipo, a sociopsicofilosófica, pode chegar à reconstituição tanto dos egos comuns quanto dos híbridos. A chave para o sucesso desse tratamento seria a indução da formação de anticorpos psíquicos contra o conarcisismo secundário. Em tese, em certos casos a ação dos anticorpos psíquicos poderia desencadear reações psicossomáticas pela presença, real ou virtual, de algum megaego, ou mesmo ante a mera ameaça de conexão conarcísica. As reações poderiam ser alérgicas, como lacrimejar copioso, protuberância das órbitas oculares, cócegas na língua, ou de outras naturezas, como náusea e vômitos intermitentes, surdez seletiva, ou ululações seguidas de arquejamento. A leitura de *Megaegos* constitui pré-condição para o sucesso do tratamento, o qual inclui doses maciças de leitura e reflexão sociopsicofilosófica. Também se faz indispensável a prática de exercícios físicos diários num estilo primitivo de tai chi chuan, recém-descoberto, e a manutenção de uma dieta alimentar à base de pimentões e alcachofra, denominada VegaLight. Nos parágrafos finais, o Dr. Reis revela contar com um paciente, o qual, embora em fase de tratamento, estaria apresentando progressos consideráveis. Mesmo não havendo chegado à metade de *Megaegos*, o paciente do Dr. Reis já entendia que "uma coisa é uma coisa e outra coisa é outra coisa"; procedia, com notável destreza, à separação de alhos e bugalhos nos afazeres cotidianos; como também se mostrava disposto a tentar remediar a sua situação sem o concurso de favores nem benesses de ninguém. "Razoável é supor", declara um convicto mas prudente Dr. Reis, "que, dentro de alguns meses, meu paciente deixará o consultório para viver como cidadão pleno, com a firme certeza de que poderá trabalhar, instruir-se, divertir-se, acasalar-se, até mesmo sonhar e delirar, livre de qualquer conexão conarcísica secundária." Assim, em tom assaz comovedor e incomum para obras de não ficção, em particular as de tamanha envergadura e complexidade, termina *Megaegos*.

À luz do ambicioso escopo da obra, acima apenas delineado sem o requinte intelectual merecido, não é de estranhar que após a publicação da mesma, no segundo decênio do século XXI, seu autor tivesse expectativas de reconhecimento e, por que não admiti-lo, de consagração acadêmica e literária. Porém, nos meses que se seguiram, o Dr. Reis compareceria a tão somente duas sessões de autógrafos. A primeira, coincidente com o lançamento da obra; a segunda, em sua cidade natal, para público composto majoritariamente por parentes e amigos. O cômputo minucioso dos autógrafos totalizou, ao cabo, cinquenta e uma firmas – ou cinquenta e duas, se tomado em conta o autógrafo concedido à sua empregada doméstica, a quem presenteara um exemplar de *Megaegos*. O sofrimento de não ver o seu talento suficientemente reconhecido terminou por empurrá-lo a transigir com excessos.

Foi assim que despertou, certa feita, perto do meio-dia, todo cueca e meias, emborcado no sofá da sala. Passados alguns instantes, já quando o véu do entorpecimento se havia afastado o suficiente, reparou, assombrado, que não se encontrava em seu apartamento. Na casa desconhecida e silenciosa, o ruído do mundo exterior reverberava, com estrépito, por todas as partes. Paredes, portas, mesas, pareciam querer contar ao estranho sobre suas vibrações, talvez no afã secreto de contagiá-lo, aquele ser meio inerme, que tentava recobrar alguma gravidade, mas para isso ainda precisava desenterrar-se das almofadas demasiado macias de seu leito de ocasião. Enquanto se vestia, rezando para que ninguém adentrasse o recinto, o hóspede notou que havia copos de uísque e de espumante espalhados em volta, assim como cinzeiros abarrotados, e manchas estranhas no carpete. Saiu de lá correndo. Nunca soube ao certo o que teria sucedido, ou pelo menos nunca o revelou a ninguém. Vez por outra, em eventos de trabalho, o Dr. Reis viu-se tomado de sobressalto pela impressão de olhares enviesados e sorrisos marotos a ele dirigidos, numa sugestão de cumplicidade, como a declarar, sub-repticiamente, "Foi boa a esbórnia, não é mesmo?". À fase dos tragos e incursões noturnas sobreveio outra, totalmente inversa, feita de noites intermináveis de sono letárgico induzido por comprimidos. Difícil avaliar qual a pior ressaca, se a dos tragos ou a dos comprimidos. Ambas comprometiam horas e horas num arrastar-se em terreno pantanoso, cegado por dolorosa enxaqueca ou pelo efeito de soníferos poderosos. Travava-se ali um combate estranho, em que uma parte do ser rastejante propendia para a sombra, atraída por suas comodidades, entre as quais o apagamento dos limites e de todo tipo de precisão e esforço, enquanto outra parte ansiava por erguer-se em busca de luz, guiada pela intuição de que, apesar dos desconfortos da moralidade, com seus incômodos limites e justificativas, apenas na claridade se pode construir e prosperar.

Mais de três anos depois do lançamento de *Megaegos* foi que o Dr. Raul Reis conseguiu, enfim, recuperar-se do abalo e reaprumar-se. Isso tornou-se possível, em boa medida, devido a eventos de grandes proporções e importância que sacudiram o país e desencadearam no psicossociólogo novo frenesi de criatividade intelectual, talvez até mais intenso do que o anterior e, seguramente, de maior transcendência.

O primeiro de tais eventos foi o início, em março de 2014, do que se passou a chamar "Operação Lava Jato", conduzida por força especial de policiais, procuradores e promotores, sob o comando do Poder Judiciário. As investigações concentraram-se, inicialmente, em operações de lavagem de dinheiro, que revelaram a existência de esquema oculto de fraude em licitações de contratos junto à Petrobras, uma das maiores petroleiras do mundo e a mais importante e reconhecida empresa brasileira. Pois justamente a Petrobras, conforme constatou-se, vinha sendo explorada impiedosamente por cartel de meia dúzia de grandes corporações, que corrompiam administradores na burocracia da empresa para obter o privilégio criminoso de superfaturar, ou melhor, hiperfaturar contratos. O controle da empresa pertencia, como ainda pertence, ao Estado, acionista amplamente majoritário, embora a participação privada, somados todos os acionistas individuais, fosse até maior. O esquema de parasitismo fraudulento, que ficou conhecido como "Petrolão", geraria prejuízos de mais de US$ 6 bilhões à maior empresa nacional. Em consequência, a Petrobras fecharia o ano com balanço contábil deficitário, algo que não ocorria desde

1991, quando a moeda brasileira era outra e a economia via-se às voltas com o fantasma da hiperinflação. Na segunda metade de 2014, o Brasil se alvoroçava no clima de nova eleição presidencial, enquanto o escândalo do "Petrolão" seguia cozinhando em fogo cada vez mais alto e a economia evidenciava graves desacertos macroestruturais. Àquela altura, os bons farejadores já podiam sentir, nos ares da política nacional, o odor característico da podridão.

O segundo dos eventos de grandes proporções a sacudir o país, ainda em 2014, foi a Copa do Mundo de futebol masculino. É sabido aos quatro cantos do planeta que o brasileiro nutre especial predileção pelo futebol entre todos os esportes. Estudos antropológicos já exploraram o tema em busca de explicações. Como ilustração desse fenômeno, recorde-se o fato de o Brasil ser o único país a haver participado de todas as edições da Copa do Mundo realizadas até hoje. Tendo-se em conta a importância do futebol para a cultura de massa, pode-se, em princípio, entender a renhida campanha empreendida internacionalmente pelo governo para fazer do Brasil a sede do torneio. Embora não constituísse, em princípio, uma prioridade para a nação, a iniciativa, se bem sucedida, redundaria em ganho de popularidade considerável em favor dos governantes de turno, e isso, sem sombra de dúvida, equivale a bem de valor nada desprezível no concorrido mercado da política. Note-se, todavia, que, à época de tal decisão, o mandatário brasileiro contava com popularidade de sobra. Uma vez vencida a disputa pela sede do torneio, causou espécie a insistência em promovê-lo em doze localidades diferentes, quando teria sido mais simples, em termos logísticos, e bem mais econômico, limitá-lo a quatro ou cinco locais que já atendessem a parte dos requisitos técnicos. Curiosamente, o Brasil preferiu construir sete novos estádios de futebol, com no mínimo 50 mil lugares cada um, além de reformar cinco outros. Como era de se prever, a combinação de plano tão ambicioso com a lentidão burocrática das esferas oficiais fez com que obras tivessem de ser contratadas em regime de emergência e realizadas às pressas. O resultado foi sentido no elevado custo final das mesmas, algumas entregues às vésperas do evento. Terminada a Copa, os estádios especialmente construídos revelaram-se superdimensionados em relação às necessidades normais, sendo difíceis de lotar e de cara manutenção. Mas o pior mesmo foi a campanha da seleção brasileira no certame, que começou com gol contra e terminou, na prática, no dia da fatídica semifinal contra a Alemanha, em que a canarinho anotou 1 e entubou 7. O que era para ser festa, sonho, transformou-se, ao cabo de intermináveis, excruciantes minutos, em tortura, pesadelo. Para arrematar, a seleção terminaria o mundial em quarto lugar, depois de perder para os Países Baixos por 3 × 0, placar que, de excessivo, em circunstâncias normais, passou a modesto. Quem teria podido imaginar que o Brasil viria a sofrer tamanha humilhação em sua própria casa? O que teria desagradado tanto as divindades protetoras do futebol brasileiro, único penta campeão mundial, para permitir a aplicação de castigo tão severo e doloroso?

Ao longo do ano de 2015, em que se iniciava o segundo mandato de uma presidente reeleita malgrado o cenário interno adverso, aprofundaram-se as investigações da Lava Jato. As progressivas revelações dessa operação jurídico-policial foram colocando a nu, para quem soubesse juntar a com b e somar 1 + 2, que o esquema de hiperfaturamento na superestatal Petrobras estava visceralmente relacionado com a esfera política. Conforme ficaria comprovado, boa parte do mar de dinheiro espúrio era canalizada para o financiamento das siglas políticas da base governista, com o partido da presidente do país como principal beneficiário. Um fluxo contínuo de notícias indecorosas foi sendo, então, alimentado por essas e outras revelações, como a de enriquecimento ilícito de agentes públicos e suspeitas de manipulação política do banco de desenvolvimento nacional para atender empresas privadas, financiadoras do projeto de poder do partido do governo. Mas o enredo da realidade nacional iria receber novas tintas, que o tornariam ainda mais dramático. Na tarde do dia 5 de novembro daquele ano, contra o pano de fundo escandaloso da política, ocorreria o maior desastre ecológico já registrado no Brasil. No município de Mariana, em Minas Gerais, a enorme barragem do Fundão veio a romper-se, liberando uma enxurrada de 60 milhões de metros cúbicos de lama tóxica, plena de rejeitos químicos oriundos da mineração do ferro. O fluxo monstruoso de lama rapidamente soterraria uma cidadezinha próxima e contaminaria as águas do Rio Doce, em torno de cuja bacia hidrográfica vivem cerca de 3 milhões de pessoas. Após viajar por mais de 600 km, aquele vômito nocivo chegaria, por fim, ao mar, indo poluir águas e áreas litorâneas. Sua passagem produziria um rastro de destruição de proporções gigantescas e consequências difíceis de se dimensionar com precisão. O certo é que 19 pessoas perderam suas vidas, mais de 360 famílias ficaram desabrigadas, e sérios danos ambientais foram causados, até mesmo a provável extinção de espécies, assim como prejuízos de monta a várias atividades econômicas.

O desastre ambiental e humano de Mariana comoveu profundamente o Dr. Raul Reis. Mais de uma vez os vidros ovalados dos óculos se embaçaram, prejudicando o descortino visual do psicossociólogo, obrigando-o a vasculhar os bolsos à cata de um lenço de papel, que também atenderia ao nariz gotejante. Como provavelmente sentiram inúmeros outros brasileiros, aquela notícia trazia em seu bojo uma carga simplesmente esmagadora de desalento. Não era só tristeza condoída, de raiz empática, o que se sentia naquele momento, mas uma espécie de frustração cívica, como se o desastre guardasse urdidura subjacente, que perpassava e transcendia os aspectos ambientais, humanitários, econômicos… O Dr. Reis, talvez mais do que ninguém, sentia palpitar em toda a narrativa da tragédia a sugestão de um fenômeno dotado, a um só tempo, de maior amplitude e profundidade. Era como se a própria integridade da alma nacional estivesse em xeque. Nos dias que se seguiram à divulgação da notícia, o autor de *Megaegos* viu-se acometido de esquisitos sintomas. Às refeições, não conseguia ingerir nada líquido nem pastoso. O caldo da carne de panela sobre o purê de batatas, até a véspera tido como composição culinária das mais apreciáveis, parecia-lhe agora repugnante. Suflês, idem! Vatapá, nem pensar! Musses de qualquer sabor, longe dali! Açaí na tigela, nem com banana em rodelas! Sua dieta, naqueles dias, resumiu-se a carnes duras e secas, acompanhadas de arroz e salada, esta, porém, sem azeite nem vinagre. Uma noite, antes de dormir, tentou comer uma fatia de mamão, mas o formato de canoa da fruta cortada e seu sabor associaram-se para fazê-lo pensar no Rio Doce, agora violentado por uma língua de lama pestilenta. Foi dormir com a barriga roncando. Na madrugada da mesma noite, o Dr. Reis acordou suando, o coração pulsando forte. Havia acabado de sonhar com muita lama jorrando de uma tubulação, e o lamaçal formando um quadrilátero convertido em campo de futebol, e as traves do gol sendo também as pernas de uma enorme mesa, e ao redor da mesa sentavam-se homens com ternos desalinhados emoldurando gravatas mal postas, e eles se entretinham numa conversa animada, o movimento de seus lábios era nojento e algo de muito vulgar e escandaloso era dito e encenado ali, não se conseguindo entender nenhuma palavra, mas os gestos permaneciam a sugerir algo de máxima e indefinida importância, cujo sentido se desfazia na atmosfera escura daquele lugar estranho, feito aros de fumo no ar. O Dr. Reis levantou-se da cama, calçou meias e chinelos, agasalhou-se com o roupão e foi acendendo luzes pelo corredor até encontrar o seu pequeno gabinete de trabalho. Acomodou-se na poltrona de leitura e pôs-se a pensar.

No palco da mente, imagens díspares se alternavam, indo e vindo numa coreografia de contorções. Aos poucos, foram-se aproximando: a festança promíscua do privado com o público, alimentada por gordas e indecentes propinas; o espetáculo melancólico da seleção de futebol, vacilante e desconjuntada, de moral decaído, assombrada pela ideia da derrota; a trajetória nefasta do rio de lama a conspurcar, com suas impurezas tóxicas, num afã esterilizador, mananciais de vida e beleza… Quando lhe voltou a lembrança do sonho, as imagens se entrelaçaram. De repente, tudo lhe pareceu ser parte de um mesmo quadro, pintado com óleo, suor e lama. Os jogadores, simbolizando a nacionalidade, escorregavam no lamaçal proveniente de uma tubulação, evocativa dos oleodutos da Petrobras, sendo incapazes de estruturar seu jogo e materializar seu talento, enquanto corruptos abancavam-se ao redor de ampla mesa, num desfrute inconsequente e vil, envoltos na atmosfera sombria de uma realidade sórdida. Sim, era esse o retrato do país naquele momento. O Dr. Reis deteve-se, então, a ponderar sobre essa forma particular de iluminação, em que a coincidência de acontecimentos do mundo exterior provoca associação aleatória de imagens e ideias, surgindo, nesse processo, de forma espontânea, uma revelação esplêndida, que agrega significado à realidade. Nesse ponto de sua reflexão foi que, num estalo, a memória recuperou, como se convocasse do aposento de hóspedes para a sala de estar, o conceito da psicologia junguiana a dar conta, precisamente, daquela forma de revelação. Sincronicidade era o seu nome.

A partir de então, o Dr. Reis passaria a trabalhar, dia e noite, em nova obra literária, na qual se empenharia em realizar uma detida análise sincronística da realidade brasileira vivenciada no período em tela. Conforme seu feitio, mergulharia apaixonadamente no projeto científico, mas também pedagógico, de verificar as possíveis interconexões simbólicas entre fatos objetivos de natureza sociopolítico-cultural pertinentes ao mundo externo; ao demonstrá-las, compartilharia com o grande público o prazer extático do alargamento da consciência, derivado da iluminação sincronística. O esforço de dar corpo a esse complexo projeto viria a ter, como bem se imagina, proporções ingentes, levando o Dr. Reis a recluir-se meses a fio no recesso doméstico, a perquirir, internet adentro, notícias, matérias, artigos, enfim, textos de todo tipo – jornalísticos, científicos, literários, esotéricos... – sobre os assuntos de seu interesse. Não encontrando nesse extenso material nada que pudesse assemelhar-se à linha de investigação por ele traçada, deduziu que o seu trabalho, além de brilhante, ostentaria o selo da originalidade. Essa constatação foi de fundamental importância, pois veio munir o Dr. Reis da energia anímica necessária para encarar o desafio. Ainda assim, outros, no lugar dele, teriam desistido.

Ao "arregaçar as mangas", como gostava de dizer o Dr. Reis (embora raramente aprovasse as expressões coloquiais), procurou traçar linhas de correspondência e diferenciação entre os eventos de especial magnitude e relevância para o país, anteriormente citados. Notou, de imediato, que ambos os desastres – o futebolístico e o ambiental – constituíam fatos de cronologia pontual, ou seja, eram temporalmente concentrados. A Lava Jato, porém, constituía operação de cronologia dilatada, marcada por etapas e procedimentos geradores de resultados parciais, que acarretavam outras investigações, as quais, por seu turno, davam impulso a novos procedimentos e consequências. No plano psicológico, desastres produzem impactos de grande intensidade num curto espaço de tempo, repercutindo sobre sensações e sentimentos; os traumas provocados podem, no entanto, perdurar ao longo de toda uma existência, refletindo-se sobre as crenças e comportamentos dos indivíduos afetados. Por outro lado, processos como o da Lava Jato são de efeito cumulativo. Para se entender os efeitos psíquicos em casos desse tipo, o Dr. Reis recorreu a comparação com casos psicoterápicos em que a dinâmica do trauma é fragmentária: repetidas situações de abuso provocam traumas semelhantes, cujos efeitos se avolumam na psique e vão produzindo deformações comportamentais em grau cada vez maior.

Decidiu então o Dr. Reis colocar de lado a Lava Jato, apenas por ora, e dedicar-se a refletir sobre o tipo de impacto, e suas repercussões no plano psicossimbólico, observado nos desastres em questão. No caso da Copa de 2014 de futebol, assim como no da tragédia ambiental de Mariana, ficou claro desde o princípio para o Dr. Reis que o abalo provocado repercutiu, fundamentalmente, sobre a autoimagem e a autoestima nacionais. Para poder captar o estrago causado pela ferida psíquica coletiva, fazia-se mister compreender que tanto o futebol quanto o meio ambiente possuem extensa dimensão simbólica, cumprindo função mítico-sociológica importante no reforço e na manutenção do sentido de nacionalidade entre os brasileiros. Ciente disso, o Dr. Reis, cuidando de emprestar maior consistência a suas análises, recorreu ao trabalho do brasilianista norte-americano Joseph Blurying que, além de desenvolver o inovador conceito de "adesão mítico-sociológica", ainda inventara um coeficiente para medi-la, o qual era aplicado sobre uma escala de –3 a +3 (sete graus, incluindo o zero). Na visão de Blurying, toda sociedade, além de criar suas mitologias próprias, possui uma dinâmica particular de adesão a elas. Sob a influência de inúmeros fatores, o grau da adesão mítico-sociológica, medido pelo coeficiente de Blurying, varia para cada momento distinto na história da sociedade. Quanto maior o valor do coeficiente, mais forte a aderência da sociedade à mitologia em questão, e vice-versa. Se uma determinada mitologia sofre abalo significativo, a sociedade perde autoconfiança nos aspectos que estão, ali, miticamente representados; dependendo da força do impacto, as repercussões podem gerar trauma grave, levando, às vezes, à perda de coesão social, ou então ao agudo declínio de energia vital. Em ambos os casos, passíveis de ocorrer também de forma combinada, diferentes cenários, todos negativos, podem emergir: episódios de convulsão interna, marcados por doses variáveis de violência; diminuição da capacidade empreendedora, com redução da taxa de investimentos e aumento do índice de desemprego; elevação dos níveis de permissibilidade a vícios e atitudes antissociais; maior prevalência de crimes; etc.

Ao aplicar o ferramental de Blurying na análise dos recentes desastres nacionais, o Dr. Reis logrou divisar, com maior nitidez, suas respectivas implicações. Deteve-se, primeiramente, na Copa do Mundo de 2014. A premissa fundamental neste caso foi a de que, no plano mítico-sociológico, o futebol, sobretudo quando se trata da seleção canarinho, constitui espelho das qualidades e potencialidades brasileiras. A grande partida simbólica jogada no futebol seria, então, a das qualidades mítico-sociológicas nacionais contra as adversidades externas, incluindo-se nessa categoria o subdesenvolvimento econômico. As qualidades "escaladas" para disputar a partida eram aquelas típicas do brasileiro, estabelecidas pela cultura popular, tais como o engenho, a espontaneidade, o humor, a malícia, a esperteza, o otimismo, o oportunismo, a imprevisibilidade, a impulsividade, a incoerência, a ousadia, a fugacidade – enquanto outras ficavam em segundo plano, como se mantidas no "banco dos reservas". Sem as qualidades titulares, de natureza "macunaímica", inatas, espontâneas, e tidas como características da alma nacional, não teriam existido os dribles picarescos do Garrincha e do Ronaldinho Gaúcho, as surpreendentes arrancadas e costuras em zigue-zague do Ronaldo Fenômeno, os passes mágicos do Sócrates e do Falcão, as jogadas espetaculares do Zico, nem os mil gols do Pelé. Porque o futebol não é um esporte como outro qualquer, em que o repertório de ações e variações é reduzido. No futebol, onde o espaço físico em que se dá a ação é grande, assim como também o número de jogadores, as múltiplas interações possíveis são incalculáveis, havendo ampla margem para os lances individuais, e infinitas possibilidades e graus de composição entre o individual e o coletivo. De fato, o engenho, a invenção, a "malandragem" – essa síntese popular entre malícia, esperteza, oportunismo e ousadia – intervêm consideravelmente nos resultados do futebol, em dose seguramente maior do que em outros esportes. Na Copa de 2014, o suplício impingido ao Brasil pela Alemanha configurou-se como auge do anticlímax que começara a delinear-se já na partida inaugural, na forma de agourento gol contra, primeiríssima obra da seleção no torneio, e fora crescendo à sombra de uma campanha pouco entusiasmante do escrete nacional. O enorme investimento moral na candidatura do Brasil como país anfitrião, somado a todo o tempo, dinheiro e esforço investidos na organização do evento, reforçara a expectativa de êxito, já naturalmente elevada entre os brasileiros quando se trata de Copa. A reversão brutal de tais expectativas mediante a cataclísmica vitória alemã na semifinal projetou no imaginário coletivo sérias dúvidas quanto à capacidade do Brasil de trazer a campo as qualidades pátrias. E mais, o descrédito chegaria ao ponto de se questionar se tais qualidades já não estariam, agora, obsoletas, revelando-se insuficientes para a conquista dos resultados de outros tempos, ou, em termos simbólicos, mostrando-se, doravante, incapazes de atualizar o potencial brasileiro de superação das adversidades externas. Por isso, na opinião do Dr. Reis, é muito razoável supor, dada a violência do abalo, que o episódio tenha feito o coeficiente de adesão mítico-sociológica despencar a −3, o grau mínimo da escala.

Ao refletir sobre o desastre ambiental do final de 2015, o Dr. Reis tomou a ousada decisão de também encará-lo do ângulo mítico-sociológico, assim como de seguir utilizando a obra de Joseph Blurying como referência conceitual. Nessa sua reflexão, o Dr. Reis tomou em conta a importância da fabulação mitológica em torno da natureza brasileira – ou, dito de outro modo, do patrimônio ambiental nacional, expressão mais consentânea com a linguagem técnica da atualidade. No imaginário da sociedade brasileira, o patrimônio ambiental vem representando espécie de tesouro legado pela ancestralidade, o qual deve ser preservado em sua máxima pureza em nome de um futuro que se quer paradisíaco. Ou seja, para o brasileiro em geral, no plano do inconsciente, o paraíso existirá, sim, aqui mesmo, no país chamado Brasil, quando seus habitantes tiverem aprendido a sentir-se totalmente satisfeitos, recompensados e pacificados pelo fato de poder viver em ambiente de tamanho viço, beleza e fertilidade. O bem-estar geral existe, portanto, mais que tudo, num tempo futuro e num espaço natural idealmente preservado, prenhe de riquezas latentes, o que perfaz uma ética do adiamento e da herança, marcada por forte componente estético. A crença mítico-sociológica relacionada ao patrimônio ambiental do Brasil, um dos poucos países do mundo dotados de megadiversidade biológica, considera que a grandeza, exuberância e pujança ambientais sejam capazes de replicar-se mimeticamente em outros setores nacionais e, ao final, capacitá-los a vencer as destruições criminosas de toda ordem que atentam contra o potencial de desenvolvimento e a qualidade geral da vida no país. O grau de adesão mítico-sociológica nesse domínio tem variado, sobretudo, em função das tensões existentes entre o ideal ético-estético da preservação – essencial para que se mantenha a expectativa de um futuro civilizatório idílico – e a necessidade de emprego dos recursos naturais disponíveis para alavancar maior grau de crescimento econômico no tempo presente. Essa tensão larvar vai minando, aos poucos, as bases da adesão mítico-sociológica, a qual, por sua vez, encontra amparo em certas medidas tomadas no plano jurídico-legal, tais como o estabelecimento de amplas reservas indígenas, bem como de uma legislação ambiental rigorosa. Importante é notar, assinala o Dr. Reis, que, na fabulação mítico-sociológica ambiental brasileira, somente ao recuperar valores arquetipicamente indígenas o brasileiro vai tornar-se, de fato, civilizado. Como muito bem intuem os carnavalescos brasileiros, o utópico cidadão do futuro derivará de uma espécie de síntese dos opostos, tipicamente característica de civilização surgida a partir da mestiçagem étnico-cultural de diferentes povos. Nesse futuro imaginário, o civilizado reconhecerá, enfim, sua incapacidade de chegar ao paraíso, por não conseguir gerir adequadamente o patrimônio ambiental, e terminará optando por converter-se espiritualmente em índio, etapa em que passará ao papel de novo agente civilizador, a quem caberá disseminar regras sociais inspiradas no equilíbrio e beleza do mundo natural. Enquanto essa evolução ético-estética não acontece, o grau de adesão mítico-sociológica oscila ao sabor das intempéries político-econômicas e socioculturais da atualidade.

O desastre ambiental de Mariana, o maior da história do país, ao materializar as potencialidades destrutivas da sociedade brasileira, teria vindo abalar o otimismo estrutural da crença no futuro idílico e sua aposta na improbabilidade de que o extermínio do patrimônio ambiental possa sobrevir de modo intempestivo e derradeiro. O impacto do desastre poderia, além disso, dada sua magnitude, haver gerado repercussões capazes de debilitar a confiança na inoculação mimética das qualidades ambientais sobre os demais setores da vida nacional, assim como na marcha evolutiva das almas civilizadas em direção à sua conversão em "novos índios". À vista dos graves prejuízos ecológicos causados pela fúria arrasadora da enxurrada de lama tóxica, impossível não sentir que o futuro idílico da civilização brasileira sofria o duro golpe de ver-se transferido para dias ainda mais distanciados do presente.

Na escala de Blurying, o trauma produzido por tal impacto se traduz em queda vertical do valor do coeficiente de adesão mítico-sociológica, o qual, neste caso, segundo cálculos do Dr. Reis, teria descido a –2 (o grau –3 correspondendo, em tese, a eventual desastre amazônico de grande extensão, com sérios efeitos sobre a maior fonte da biodiversidade nacional).

Quando, em novembro de 2015, a notícia do vazamento responsável pelo desastre ambiental invadiu as mídias nacionais, a Operação Lava Jato vinha acumulando resultados há mais de um ano e meio. A lama liberada pelo rompimento da barragem do Fundão não representava, assim, o único material tóxico a inundar a cena nacional. Aquela lama contaminada, oriunda do descaso criminoso dos responsáveis pelas condições de segurança da barragem, equiparava-se, de certa maneira, ao lodo corrosivo que empantanava o terreno da política, com suas negociatas milionárias efetuadas por debaixo dos panos. Assemelhava-se, também, à substância que, na dimensão das representações simbólicas, jorrava sobre os campos de futebol da Copa, onde os craques da ocasião escorregavam, lambuzados até a alma, sem conseguir armar nem finalizar suas jogadas com a esperada habilidade. Lama que provinha dos canteiros de todas as obras – estádios, usinas, refinarias, oleodutos... – hiperfaturadas e hiperdimensionadas, a serviço da ilícita engorda financeira das principais siglas políticas do país, a começar pela do próprio governo. Todos esses desastres nacionais estavam, assim, simbolicamente alinhavados por um metafórico fio de lama, elemento que havia permitido a iluminação sincronística experimentada pelo Dr. Reis. A partir da imagem da lama tóxica, que transbordava de um domínio a outro, sem respeitar fronteiras, o Dr. Reis percebera a interconexão sincronística entre os desastres. Tratava-se, no fundo, de um sofrimento só, o de todos os brasileiros ante o envenenamento da esperança; de uma só dor, a da desilusão, ante a ostensiva dissolução moral das lideranças nacionais; de uma só frustração, a do futuro, fosse ele idílico ou trivial, devido ao solapamento das qualidades necessárias para alcançá-lo. Essa era a beleza da sincronicidade: possibilitar a expansão das consciências, a partir do estabelecimento de conexão de natureza psicossimbólica entre fatos distanciados e diferentes entre si, resultando na produção de significado passível de iluminar a trama conjuntural.

No esforço de redigir sua nova obra, o Dr. Reis deu-se conta de que a aplicação terapêutica do conceito junguiano se revelava limitada. Embora Jung tivesse definido o inconsciente coletivo enquanto ente psíquico, a ideia de sincronicidade havia permanecido atrelada sobretudo à experiência pessoal, e, portanto, circunscrita, na prática, à esfera do indivíduo. O que o Dr. Reis tencionava agora propor, com seu mais recente projeto, era o alargamento da aplicação prática do conceito, levando o fenômeno da interconexão sincronística a ser identificado e trabalhado no plano dos acontecimentos sociais, possuidores de significado e valor para conjuntos inteiros de coletividades humanas. Nesse sentido, haveria não apenas uma sincronicidade a se revelar no plano das existências individuais, mas também uma "sociossincronicidade", capaz de manifestar-se por meio de interconexões psicossimbólicas entre fatos da esfera social, fossem eles políticos, econômicos ou culturais. A partir da iluminação sincronística, acreditava o Dr. Reis ser possível proceder-se ao tratamento sociopsicofilosófico da sociedade, com metodologia específica a ser desenvolvida.

Ao compreender o quão transcendente vinha a ser a proposta teórica que seu novo trabalho encerrava, o Dr. Reis não titubeou. Sabia que, pelo fato de haver centrado sua obra na análise crítica de temas sensíveis às esferas do poder, ver-se-ia fustigado por resistências de diversos setores, ataques venenosos, comentários mesquinhos, sabotagens acadêmicas, perderia amigos, e até mesmo gente de sua própria família viria, de dedo em riste, dizer-lhe que, por pura vaidade intelectual, expunha os parentes a riscos desnecessários. Mas o Dr. Reis estava determinado a enfrentar todos os percalços. Publicaria a todo custo sua obra, com renovada esperança de justo reconhecimento, sob o título *A dimensão sociossincrônica*, dando, assim, nova e importante contribuição ao avanço das ciências sociais no âmbito brasileiro e, com sorte, também global.

Desta feita, o Dr. Reis tomaria o cuidado de não exagerar nas notas nem nas referências bibliográficas, com vistas a tornar o livro menos volumoso e mais atrativo ao público. A abordagem de temas que haviam sido objeto de intensa cobertura na mídia constituía fator positivo para os propósitos de reconhecimento do autor, na medida em que viria a facilitar a comercialização e circulação da obra. Ademais, havia encontrado editora mais sólida e respeitada que a de *Megaegos*, a qual projetara uma campanha de lançamento em princípio muito bem estruturada. A estreia do livro teria lugar numa das melhores livrarias do país, com a presença de veículos de rádio e imprensa. A programação incluiria uma apresentação biográfica inicial, feita pelo próprio autor, breve palestra sobre o teor da obra, leitura de excerto do livro, espaço para perguntas, e, por fim, sessão de autógrafos.

Ao cabo de ano e meio de esforços concentrados, o Dr. Reis se aprontava para entrar nas dependências da livraria, onde conduziria o lançamento da publicação que acreditava capaz de redimi-lo. Caminhava pelos corredores do imenso e luxuoso shopping sem nenhuma pressa, desfrutando os momentos de relativo anonimato que lhe restavam e, como ninguém é de ferro, aproveitando para liberar um pouco do nervosismo, natural em situações desse tipo. Já se encontrava a alguns metros de seu destino quando uma jovem de uns 20 anos aproximou-se dele. Levava contra o peito, seguro por ambas as mãos, um exemplar de *A dimensão sociossincrônica*. Parou para dar a atenção que a moça solicitava, intrigado com aquela abordagem. Ouviu-a pronunciar um nome, que o seu cérebro, às voltas com as tarefas que deveria desempenhar dentro de instantes, prontamente esqueceu. Ela era estudante de Sociologia e tinha devorado (em suas próprias palavras) boa parte do livro durante a tarde, sentada numa das cafeterias do shopping, enquanto aguardava a cerimônia de lançamento. Num falar um tanto sôfrego, elogiou a concepção geral da obra e, claro, o uso criativo (de novo, palavras dela) do conceito de sincronicidade, com sua aplicação no plano social. Confessou-se, no entanto, desapontada pela total ausência de histórias pessoais na narrativa dos desastres. Em sua opinião, faltavam depoimentos diretos e humanizados das vítimas sobre os dramas vividos com os desastres, pois somente assim se poderia chegar a compreender, de fato, a profundidade trágica dos acontecimentos. O Dr. Reis ouviu os comentários da jovem sem nada retrucar. Antes de se despedir, formulando uma desculpa por não comparecer ao ato de lançamento, ela ainda perguntou se ele havia cogitado doar, ao menos em parte, o produto a ser auferido com a venda dos livros para alguma instituição de fins humanitários, ou com propósitos de conscientização preventiva, como, por exemplo, a associação dos atingidos pelo vazamento de barragens. Sem esperar pela resposta, talvez por intuir que não a teria, a futura socióloga despediu-se e zarpou na direção oposta à da livraria, sacudindo as franjas da bolsa de pano levada a tiracolo, enquanto o livro, agora, sufocava sob uma das axilas.

O Dr. Raul Reis permaneceu imóvel durante alguns segundos, talvez minutos. Teria aquela jovem petulante razão em criticá-lo? Haveria falhas importantes em *A dimensão sociossincrônica*, que deveriam ser impreterivelmente corrigidas? Poderia seu comportamento ser caracterizado como essencialmente egoísta e desprovido de sensibilidade? Estaria ele, ao escrever e publicar a obra, imbuído de desejo inconsciente pelo estabelecimento de conexões conarcísicas primárias com grandes autores e casas editoriais, e secundárias com o público em geral? Corresponderia tudo isso, no fundo, a uma tentativa inconsciente e tardia de ingressar na bolha megaegogênica, admitindo ser ele próprio um megaego?

Após instantes de paralisia, o Dr. Reis concluiu que os comentários da jovem estudante careciam de fundamento. Todo o trabalho analítico da obra se concentrava no campo dos fatos sociais, não cabendo, portanto, a introdução de narrativas individuais, penduricalhos subjetivos, inúteis corpos estranhos que em nada contribuiriam para aprimorar ou contestar as teses ali tão cuidadosamente desenvolvidas. Ainda tratava de fixar tais convicções em sua mente quando se viu levado a esboçar um sorriso logo à porta da livraria, a fim de cumprimentar o pequeno comitê que lhe oferecia simpática acolhida. A seguir, foi conduzido à mesa de onde falaria para um público estimado entre trinta e quarenta pessoas. Ao sentar-se, porém, um gesto atrapalhado fez tombar a garrafa plástica de água à sua frente, que estava destapada, e junto com ela um copo cônico de café preto que os organizadores haviam providenciado para agradá-lo. O líquido espalhou-se com notável rapidez, molhando os trajes do Dr. Reis e encharcando o texto de sua palestra. Bastante incômodo com a situação, um desconcertado autor pediu licença para ir comprar outra roupa no shopping. Não demoraria mais do que 20 minutos.

De volta aos corredores, o pequeno desastre ocorrido na livraria lhe trouxe à lembrança o encontro um tanto abrupto com a jovem estudante, e suas observações descabidas. De repente, viu-se acometido de uma revelação sincronística: tal como o texto da palestra e sua indumentária para a ocasião, subitamente arruinados, a obra em vias de ser lançada precisaria, sim, ser refeita! Não da maneira pretendida pela jovem, mas de forma a incorporar o papel dos megaegos e das conexões conarcísicas no enredo dos desastres, bem como sua intervenção determinante nos processos sociais que se seguiram aos fatos, com o intuito de preservar a integridade e segurança da bolha megaegogênica. Sem tal componente analítico, seria impossível compreender as limitações da dimensão sociossincrônica para servir de elemento indutor de mudanças na sociedade. Observe-se, a propósito, que, apesar do enorme desgaste produzido nos níveis de adesão mítico-sociológica, ainda assim a sociedade continuara a manter, mal ou bem, suas estruturas fundamentais de poder essencialmente inalteradas, assim como suas formas de organização operacional em funcionamento. E isso somente se podia explicar pela intervenção estabilizadora e antissincronística dos megaegos, agindo por meio de extensa rede de conexões conarcísicas primárias e secundárias. Haveria, portanto, que trabalhar, desde já, para uma segunda edição, urgentemente revista e ampliada, de *A dimensão sociossincrônica*, a incorporar tais análises e conclusões. Ou, talvez, o Dr. Reis pudesse pagar à editora para simplesmente retirar o livro de circulação. Sim, melhor seria escrever outro, com o título tentativo de *O fator megaegogênico e seu papel antissincronístico*. Ainda perambulando, sem rumo, pelos pisos do shopping, ocorreu ao Dr. Raul Reis ligar para desculpar-se com o pessoal da livraria. Tirou o celular do bolso e realizou a chamada. Conversariam com calma mais tarde; por ora, devido a motivo de força maior, via-se na contingência de ter que cancelar o evento.

    E assim foi. Sua cabeça já trabalhava em novo projeto...

Freddy Quin

Frederico Quintino possuía a índole da pontualidade. Isso ajudava a causar boa impressão, o que era especialmente positivo em períodos como aquele, quando principiava nova relação de trabalho, e num emprego que, felizmente, lhe caía bem, oferecido pelo amigo de todas as horas, Rodrigo Dambrósio. Contando pouquíssimo tempo no posto, Quintino se achava encantado com as suas funções. Embora não tivesse havido nenhum ato formal de posse – formalidades não constituindo exatamente o forte das agências publicitárias –, elaborara, de si para si, um juramento silencioso de fidelidade ao trabalho. De manhã cedo, ao sentar-se diante da mesa de escritório, a ocupar parte do espaço da recepção da agência, Quintino repassava mentalmente, como numa prece, enquanto o telefone não estrilava e a tela do computador se acendia, os termos de sua jura diária:

"De tudo ao meu emprego estarei atento
Sóbrio, sempre, e com empenho, e tanto
Que mesmo em face do maior desespero
Não se arrede dele o meu traseiro

Quero vivê-lo em cada vão, ou canto
Em quietude ou atroz balbúrdia
E nunca minha voz ante uma ordem
Se levante, por mais estapafúrdia

E assim, se depois me demitirem
Por critérios de alta chefia
Ou intrigas de hierarquia

Possa, do emprego que tive, dizer a outrem
O que fiz, de novo faria, sem deslize
Ainda que a empresa não me indenize"

Dambrósio também trabalhava na ZeroBala, como se chamava a agência, onde, além de sócio, era competente diretor de arte. Tinha genuína admiração pelo Quintino, em quem conseguia distinguir traços de genialidade. O problema do amigo, a impedi-lo de progredir na vida, eram certas peculiaridades, em razão das quais acabava sendo estigmatizado como excêntrico, ou, no dizer da maioria, "esquisitão". Entre elas, havia o costume de, num dia, pentear o cabelo para um lado e, no dia seguinte, penteá-lo para o lado oposto. Também gostava de pigarrear entre as sentenças de uma frase, morder tampas de caneta, tomar várias xícaras de café por dia e passear com a braguilha da calça entreaberta depois de ir ao banheiro. Mas sua maior peculiaridade, e fonte de preocupação constante para Dambrósio, era o uso muito particular que fazia da linguagem. E não só isso, mas a maneira como emitia certos enunciados, momentos esses nos quais Quintino se transfigurava. Como se tomado por súbito transe, dizia coisas num falar estranho, que soava rebuscado, meio anacrônico, e requeria certo esforço interpretativo.

Por causa desses particulares, a indicação de Quintino para o posto de recepcionista da agência fazia-se um tanto temerária, merecendo ser elevada ao patamar das provas irrefutáveis de amizade. Do que não se tem certeza, entretanto, é se o beneficiário tinha algum grau de consciência acerca dos riscos que o amigo corria ao sustentar sua admissão para aquela vaga, aliás bastante disputada. Tê-lo colocado ali havia significado, para Dambrósio, enfrentar as indicações dos dois outros sócios. Arturzão, mulherengo que só, queria preencher a vaga com uma jovem modelo, necessitada, coitada, de salário fixo para pagar as contas que ele não queria assumir, pois já achava exorbitante o valor da pensão da ex-esposa. O Dani, que sempre alongava, juntamente com os lábios, certas palavras das frases, pretendia emplacar o Biju, que vinha a ser sobrinho de uma grande amiga, com quem gostava de discutir filmes e guarda-roupa. Arturzão não iria suportar o saracoteio do Biju pelos corredores da agência. O Dani, embora achasse a "ex" do Arturzão "um pooorreee", jamais toleraria uma modelozinha metida a sexy intermediando suas chamadas telefônicas e recebendo os seus clientes. Nesse contexto, o nome de Quintino foi ventilado por Dambrósio com muito senso de oportunidade e virou solução de consenso, a prevenir altercação grave entre os sócios.

Só que a consensualidade do Quintino era algo apenas conjuntural, totalmente alheio a seus atributos profissionais, os quais, agora, deveriam ser comprovados se quisesse manter-se no emprego. No começo, podia soar divertido ao Dani ouvi-lo, quando chamado, responder: "Eismaqui, não acolá!" Mas nunca se sabe, num dia tenso, como não raro acontecia, o "Eismaqui, não acolá!" podia acabar mal interpretado. O Arturzão, por seu turno, com a política de evitar ao máximo qualquer presença masculina no seu escritório, recorria ao telefone para acionar os serviços do Quintino, que sempre terminava a conversa com a mesma exclamação: "Urgentementíssimo!" Nas primeiras vezes, Arturzão achou estranho; depois, passou a deliciar-se com a expressão. Arturzão, porém, famoso por sua têmpera mercurial, podia muito bem mandar o Quintino para algum lugar pouco respeitável se o "Urgentementíssimo!" lhe parecesse inopinadamente irônico, ou fora de contexto. Eram os riscos que se corria...

Justo naqueles dias, a ZeroBala estava às voltas com uma campanha publicitária importante. O cliente era uma empresa que fabricava microtratores, desses que se pilota a pé, muito em voga para pequenas propriedades rurais. Estudos indicavam que havia um grande potencial de mercado a ser explorado na venda daquele tipo de item. O fabricante disputava a liderança nesse segmento e pretendia investir em campanha publicitária de âmbito nacional, na imprensa, na rádio, na televisão e onde mais fosse possível, para o lançamento de um novo produto. A equipe de criação da agência vinha debatendo ideias para essa campanha desde, mais ou menos, quando Quintino assumira o comando da recepção. Os telefonemas com a empresa eram frequentes, assim como as visitas de seu relações públicas, incumbido de tratar do assunto com a ZeroBala.

Num começo de tarde primaveril, a reunião com o relações públicas mal começava, e o Arturzão telefonou para o Quintino. Necessitavam dele lá, para tomar notas. Quintino, então, deixou ligada a secretária eletrônica, que guardaria as ligações e os recados na sua ausência, a campainha da porta social avisaria se chegasse alguma visita, e irrompeu na sala de reuniões, munido de bloco sem pauta e caneta verde, cuja tampa começara a mastigar fazia pouco. Todos contavam com café menos ele, mas nem notou, abaixou a cabeça e concentrou-se nas anotações. Discutia-se um pouco de tudo, o nome do produto a ser lançado, o conceito da campanha, possíveis frases de efeito, coisas do gênero. De repente, produziu-se uma dessas pausas naturais numa conversação. Quintino, entretanto, não parava de escrever. Todos passaram a observá-lo, trocando sinais silenciosos entre si, e ele ali, escrevendo. Antes que alguém rompesse o silêncio com alguma observação jocosa, Dambrósio indagou, em nome da curiosidade geral, o que era que o amigo tanto escrevia. "Nada demais, somente as ideias que me sobram", respondeu ele. Ideias que lhe sobravam? Aí mesmo é que a curiosidade geral disparou. Novamente, Dambrósio antecipou-se, e, entre os risinhos e sinais de inquietação dos presentes, pediu a Quintino que lhe passasse o bloco, para que pudesse conferir as anotações. Qual não foi sua surpresa quando, abaixo das primeiras linhas de umas notas muito esquemáticas, aparentemente incompletas, encontrou o seguinte texto:

"Para que pretender coisas desmedidas, quando o coração apenas carrega o que se consegue abraçar?
A família, os amigos, um punhado de terra para se plantar, e também os frutos de nosso suor, é tudo o que, no fundo, mais importa.
Se nisso você acredita, Tratoreco é o companheiro na medida exata para o seu sucesso.
Com Tratoreco, o esforço é micro e o lucro é certo!"

"Céus, o que era aquilo?", pensou Dambrósio. Num impulso, com o coração indo bater no cérebro, fez um sinal para que todos se aquietassem. Então levantou-se e leu o texto do Quintino em voz alta. "Quem escreveu isso?", perguntou logo o Arturzão. Dambrósio apontou o indicador na direção do Quintino. "Mas isso está muito booom!", exclamou o Dani. "Parece que vocês tinham um ás na manga sem saber", acrescentou o relações públicas, não disfarçando a sua surpresa. Dambrósio, que continuava em pé, começou a exultar, gesticulando: aquilo era fantástico! O texto era brilhante, explorava sentimentos perfeitamente sintonizados com o público-alvo da campanha; desde o início, aludia à ideia de tamanho certo de uma forma sutil, poética, retomando a mesma noção, mais adiante, com aquela fórmula de tirar o fôlego, "companheiro na medida exata para o seu sucesso", como a sugerir que sucesso não é sinônimo de grandeza, de quantidade, mas de um estado qualitativo e de equilíbrio, em que certas coisas, como o companheirismo, devem estar presentes; e o que era aquele nome, Tratoreco? Um verdadeiro achado, que remetia a associações com ecologia, juntando trator + eco, e, além disso, estabelecia uma feliz conexão com a esfera da afetividade, numa evocação subliminar do termo amoreco.

Enquanto o amigo discursava, Quintino suava, ruborizado, não sabendo direito o que fazer, como reagir... O Dani, que estava sentado ao lado dele, percebendo a falta de jeito do Quintino, segurou-lhe a mão, apertando-a levemente, gesto em princípio destinado a transmitir confiança, mas que só fez o tomador de notas ruborizar e suar ainda mais. Em seguida, soltando a mão de Quintino, Dani veio somar-se a Dambrósio na peroração. Como já afirmara, o texto lhe parecia muito bom, bonzíííssimo, e, conforme salientara Dambrósio, falava com propriedade conceitual para o público-alvo da campanha, um público essencialmente conservador, que iria adorar a frase "Para que pretender coisas desmesuradas?". "Desmedidas", corrigiu Dambrósio. "Que seja", disse Dani, "eu, por mim, adooooro coisas desmesuradas, mas acho que o nosso Quintino, aqui, acertou na mosca com a frase de introdução do anúncio, pois essa frase se dirige ao pequeno produtor, para quem tudo é medido com parcimônia. E essa coisa pi-eeegas", prosseguiu Dani, "de coração e abraço, que, diga-se de passagem, não faz o menooor sentido, isso é perfeito para o sujeito que vai usar o trator, porque o trator também se torna mais um item a ser abraçado por ele, como a vaquinha leiteira, o cabrito, o marreco, a mulher, os filhos, e por aí vai…" Nesse ponto, o Arturzão resolveu interromper e, para não deixar por menos, foi enfático ao elogiar o fecho do anúncio. A frase "o esforço é micro e o lucro é certo" era, na sua opinião, o final ideal para o texto publicitário, pois sintetizava as qualidades e vantagens do produto. Mal o Arturzão terminava sua curta intervenção, já os olhares se voltaram para o relações públicas, o qual não se fez de rogado, declarando concordar com as avaliações de todos em relação ao projeto de anúncio. De fato, assinalou ele, a peça apresentava os conceitos e imagens adequados para se estruturar uma campanha bem sucedida.

Assim, por unanimidade, o texto produzido pelo Quintino, sem que ninguém lhe tivesse solicitado, tornou-se a pedra fundamental da campanha publicitária do pequeno, mas valente, Tratoreco. No dia seguinte, Dambrósio conversou com os sócios para promover Quintino a membro da equipe de criação. Todos coincidiram em que seria a decisão mais justa a se tomar. Trabalharia, doravante, no *pool* de criadores, e contratariam outra pessoa para a recepção.

Os três sócios foram juntos dar a notícia ao Quintino, que quis resistir, mas o Arturzão, bem a seu estilo, o fez mudar-se imediatamente para o *pool*. Aquele novo endereço, localizado no miolo geográfico da agência, era de onde Quintino deveria passar a criar textos publicitários para as campanhas que fossem chegando, cercado de outros criadores, num ambiente concebido para não só facilitar como também estimular a troca de informações e a cooperação entre todos.

Transcorrido um mês desde que se mudara para o *pool*, Quintino não tinha conseguido produzir nada. Quer dizer, produzira alguns esboços, que, devido à natural e inevitável pressão do ambiente, compartilhava com os colegas de criação, mas acabavam todos descartados contra um coral de fundo, composto de palavras e frases consoladoras. Um de seus primeiros ensaios criativos foi para o lançamento de uma coleção de roupa esportiva. Somente depois de horas e horas, quando ninguém mais se encontrava na sala, veio-lhe a ideia para um texto que enaltecia, num embevecido estilo poético, a leveza e maleabilidade dos trajes, os quais "até um beija-flor usaria". Infelizmente, nenhum dos colegas se animou a apoiar ou desenvolver a sua ideia. Quintino teve algumas outras, declinantes em extensão e brilho. Da última vez, inclusive, todos riram. Discutiam sobre o lançamento de um perfume feminino, e Quintino ofereceu, num muxoxo, a sua contribuição ao debate: "Até seu espirro sai perfumado." Depois dessa, não houve mais nenhuma. Forçoso reconhecer que um traço no comportamento do Quintino não facilitava o trabalho em grupo: o não saber reelaborar ideias. Seus enunciados eram, por princípio, lapidares, e, caso não fossem aceitos do jeito que vinham, melhor esquecê-los. O assunto em questão, qualquer que fosse, não seria, jamais, por ele retomado.

Quem primeiro percebeu que as coisas não iam bem com o Quintino foi o Dani. Após conversa com o Dambrósio, e de ambos com o Arturzão, concluíram que o melhor seria recompor as condições que haviam cercado o ato criativo inaugural de Quintino, na tentativa de que outro de mesmo tipo viesse a ocorrer. Propuseram-lhe, então, que retornasse a suas funções de recepcionista, juntando-se à moça que fora contratada para o seu lugar (escolhida em base ao currículo, não por indicação dos sócios). Quintino aceitou de imediato, sem o menor sinal de contrariedade. A decisão, convenhamos, o liberava da pressão diária que vinha sentindo e já assumira proporção tal que, no dia anterior, num arroubo inconsciente de resistência, chegara atrasado ao emprego, e isso era deveras grave, podendo, mesmo, levá-lo a demitir-se, ideia que já batia à porta de sua mente. Aliviado, tomou suas coisas e foi para a recepção, deixando para trás as frustrações e concedendo à novata o privilégio de escolher a extremidade da mesa que preferisse.

Passados uns dias, Quintino foi chamado à sala de reuniões, para tomar notas. Sentou-se em torno da mesa, novamente sem café, concentrado na página branca, sem pautas, do bloco que jazia sob suas vistas, todo ouvidos. O cliente era dos mais graúdos, fabricante tradicional de automóveis, que preparava o lançamento de novo modelo, um SUV de linhas harmoniosas, cujas características seguramente agradariam o público feminino. Havia, porém, que interessar, também, o público masculino, convencê-lo a comprar o veículo, e esse era o foco central da campanha. A discussão começou a subir de tom quando o Arturzão afirmou, categórico, que era preciso adicionar algum elemento esportivo ao carro, do contrário seria difícil vendê-lo. Dambrósio, ao discordar, enumerava as qualidades do produto, citando os itens de fábrica, sobretudo o sistema de som, fantástico e inovador, que transformava o interior do veículo em verdadeira sala de concertos. Nesse exato instante, Quintino levantou-se e, com o olhar projetado para um ponto virtual à sua frente, enunciou o seguinte texto:

"Não lamente o fim do trema.
Que sua Valquíria ou Valéria, Patrícia ou plebeia, Maria ou ateia
Trema de emoção ao descobrir
Que outro elo continua a existir
Entre nós e a civilização alemã.
VolksWagner!
(O carro que não canta só os pneus...)"

"*My god*!", exclamou o Dani. "Alguém anote isso, urgente!" Estupefato, um dos representantes enviados pelo cliente gritou: "Já estou anotando!" "Dá pra repetir?", indagou o outro. Mas o Quintino, como sabemos, não se repetia. E, desta feita, seu enunciado fora oral, não escrito como havia sido o anterior, o que, tomando a todos de surpresa, tornava as coisas mais complicadas. Por sorte, graças a verdadeiro trabalho de equipe, o grupo conseguiu reconstituir, fielmente, o que o Quintino dissera – depois, é claro, de várias votações para decidir quem tinha razão sobre essa e aquela frase, ou palavra, do enunciado original.

Vencida a etapa de registro fidedigno do texto, sobrevieram, tal como da vez pregressa, os comentários admirados e elogiosos, que seria enfadonho reproduzir na totalidade. Em síntese, o texto de Quintino lograva resgatar, de forma altamente criativa, a relação tríplice entre a marca, representada pelo carro, a cultura brasileira, com aquela alusão à questão linguística do fim do trema, e a cultura alemã, representada tanto pela origem da marca como pelo trema e pelas citações a "Valquíria" e "Wagner". O nome inventado por Quintino para o novo modelo não poderia ter sido mais feliz, assim como o fecho do texto, ambos remetendo à ideia de música, um dos pontos fortes do veículo, com seu poderoso sistema de som. E, por fim, a cereja do bolo: a redação da frase final, "O carro que não canta só os pneus", sugeria, ao aludir a "cantada", que, além de tudo, o veículo estava apto a servir como elemento de sedução, o que atendia à necessidade de o produto interessar ao público masculino. Numa só palavra: genial!

A campanha do VolksWagner, lançada um par de meses depois, seria o sucesso que o pessoal da ZeroBala antevira. O carro passou a vender mais que pipoca em cinema e rapidamente assumiria a liderança no seu segmento de mercado. O anúncio do veículo, com ampla circulação nos meios impressos e eletrônicos, seria indicado para concorrer ao prêmio de melhor do ano. A agência de Dambrósio, Dani e Arturzão seria incensada pela crítica como a mais criativa do momento, e seus diretores, assediados com pedidos de entrevistas e de subsídios para matérias na mídia.

No dia em que a campanha começava a ser divulgada, Dani, pressentindo que o sucesso chegaria logo, reuniu o Quintino e os dois sócios na sua sala. Com a expressão de quem estava para desabafar algo muito importante, exclamou: "Não dá, genteee, simplesmente não dááá!" Dambrósio e Arturzão se entreolharam, arqueando as sobrancelhas, enquanto o Quintino, embora sem saber ao certo do que se tratava, ia mudando de cor. "Não dá mais pro Quintino se chamar assiiim! Precisamos mudar esse nooome, pelo amor de deeeus!" Os sócios, agora mais tranquilos, concordaram com a proposta do Dani. Com a fama batendo à porta, "Frederico Quintino" não soava lá muito adequado. "Tem razão", disse o Arturzão, "parece nome de rua de cidade do interior." "Ou de praça", brincou Dambrósio. Quintino não sabia se ria ou protestava, perplexo. "Temos que inventar algo *fashion*... já sei", disse o Dani, "que tal... Freddy Quin?" A aceitação foi imediata e unânime. Até mesmo o Quintino se sentiu satisfeito, pois Freddy Quin exalava uma personalidade incomum, lembrava gente famosa, ator hollywoodiano, cantor de *rock*, sem deixar de ser, também, uma abreviação divertida e elegante do seu próprio nome. Estava decidido. Freddy Quin seria o publicitário-revelação da ZeroBala.

Dali em diante, na mesa da recepção, Quintino passou a trabalhar com duas vozes. A normal, de tenor, pigarreada, correspondia à de Freddy Quin; a voz do recepcionista tinha registro próximo ao de barítono, profunda, pausada: "Deseja falar com o senhor Freddy Quin? Um momento, vou transferir a ligação para ele..." Em seguida, mudando a voz, agora como Freddy Quin: "Boa tarde, rram, muito prazer, uma... rram... Entrevista? Sim, rram-rram, claro, pedirei para agendar, rram." Belira, a colega com quem Quintino dividia a mesa, adorava aquela encenação. Que talento tinha o Quin! Não era só a troca de vozes, havia toda uma composição conceitual de personagens, dotados de personalidades distintas, com seus modos de falar, entonações, trejeitos... Percebendo o entusiasmo da colega, Quintino caprichava na performance.

A companhia de Belira, sempre bem humorada, fazia bem a ele. Pensou em convidá-la para almoçar, mas tinham que revezar nos intervalos de almoço, de modo a não deixar desatendido o setor da recepção. Por outro lado, um convite para jantar poderia configurar iniciativa demasiado ousada, especialmente partindo de um colega de trabalho. Um dia, porém, os dois tiveram que ficar até tarde na agência e acabaram por tomar juntos o elevador, ela checando o celular, ele numa distração fingida. Ao sair do prédio, em vez de se despedir, ela disse: "Nossa, estou faminta!" Ele, que adorava o termo "faminto", arriscou o convite. Decidiram, então, ir comer algo ali por perto, num bar que servia refeições leves. A conversa que se estabeleceu entre os dois foi empolgante. Ao cabo de quase três horas, Quintino veio a saber que Belira, veja só, nutria o sonho de ser atriz de teatro. Tinha feito um cursinho de quatro meses, que terminara com a apresentação de uma peça para público de quase oitenta pessoas sobre a vida de Carmen Miranda. Não, a ela não havia tocado o papel principal, mas o da irmã da "pequena notável", bem interessante, por sinal. Quintino também ouviu Belira declarar, com todas as letras, que gostava de assisti-lo encenando os papéis de recepcionista e de Freddy Quin e, na opinião dela, ele demonstrava possuir um talento nato para a dramaturgia. Ao ser perguntado sobre como se sentia na pele de Freddy Quin, ele respondeu, um tanto timidamente, que, embora o personagem lhe caísse bem, não conseguia imaginar-se como publicitário em tempo integral. A segunda garrafa de vinho o impeliu a contar a Belira do período em que trabalhara no *pool* de criação, e de como se sentira pouco à vontade ali. Ao final do jantar, cuja despesa ela fez questão de dividir, cada qual tomou seu rumo, com a confiança de que iriam reencontrar-se na manhã seguinte.

É provável que tenham saído outras vezes depois daquela. O que se sabe, no entanto, com certeza, é que, antes da cerimônia de premiação, o Quin viria a tomar parte em três outras campanhas publicitárias, menores, é verdade, mas todas elogiadas pelos clientes e bem recebidas pelo público em geral. Também é fato que o estrondoso sucesso de vendas do novo modelo de automóvel levou o fabricante a presentear o criador da campanha com um Wagner 0 km, verde-melancia, automático e com teto solar, verdadeiramente digno de Freddy Quin. Inclusive por contar, agora, com um veículo daqueles na garagem, ninguém entendeu o porquê do atraso de Quin na grande noite dos prêmios da publicidade nacional. E mais surpresos ainda e desconcertados ficaram todos quando ele, finalmente, não se apresentou, e o Dambrósio, inventando uma desculpa para aquela ausência absurda, teve que receber o prêmio de melhor publicitário do ano em nome do amigo. Nos momentos angustiantes que antecederam a premiação de Quin, os sócios fizeram tentativas frenéticas para comunicar-se com ele. Em vão. As primeiras ligações não foram atendidas. Logo depois, o celular foi desligado.

Nos dias que se seguiram, nada do Quintino. Curiosamente, Belira tampouco compareceu ao trabalho. Como permaneciam, ambos, incomunicáveis, a suspeita de que algo acontecia entre eles começou a ganhar corpo. A semana já ia pela metade quando os dois sumidos reapareceram, porém muito atrasados, e juntos. Nem precisaram pedir uma reunião com os chefes, sendo imediatamente conduzidos à sala do Arturzão. Depois de escutarem, pacientemente, uma ladainha de recriminações e pedidos de explicação, Quintino tomou a palavra e falou pelos dois. Haviam decidido, ambos, deixar a empresa. Não que a ZeroBala não fosse um emprego "diamantino", mas tinham planos diferentes para suas vidas. "E pode-se saber quais planos são esses?", perguntou o Arturzão, duvidando que algo pudesse ser preferível a uma oportunidade na ZeroBala, ainda mais agora, que a agência "bombava". "No tempo certo todos saberão", limitou-se a responder Quintino.

Dambrósio, sentindo-se ferido, pediu ao demissionário que fosse até sua sala. Lá, a portas fechadas, desabafou. Confessou-se traído. Jamais havia deixado de comportar-se como verdadeiro amigo de Quintino, o defendera e o protegera nos momentos difíceis, nunca desacreditando de sua capacidade. E justamente no auge do sucesso, quando a empresa alcançava o estrelato, aquele que desfrutara das condições ideais para crescer profissionalmente em grau e rapidez ímpares, como talvez nunca tivesse sequer sonhado, resolvia cuspir no prato em que comera. Isto dito, Dambrósio agarrou a estatueta, que simbolizava o maior prêmio individual dos publicitários, e a entregou a Quintino. "Tome, o prêmio é todo seu", disse ele com ironia, "pode levar." Naquela hora, Quintino poderia ter dito muitas coisas: que sempre fora assíduo e dedicado, que contribuíra decisivamente para o crescimento da empresa, que sua remuneração era inferior à que de fato merecia... Mas Quintino resolveu não dizer nada. Com um nó a estreitar-lhe a garganta, abraçou a estatueta e, ao dar meia-volta em direção à saída, ainda ouviu de Dambrósio: "Boa sorte na sua nova empresa de publicidade, secretária você já tem!"

O período pós-demissão foi de muito trabalho e sacrifício para Quintino e Belira. Contrariando a vontade dela, o Wagner foi vendido por preço injusto para um carro com quilometragem de apenas três dígitos, só porque, no mercado, vinha classificado como "de segunda mão". Reunido o produto daquela venda com as economias que possuíam, o casal conseguiu dar início ao projeto que haviam idealizado, sob o nome de FREDELIRA Produções Artísticas. É que, nas conversas com Lira (Belira o convencera a chamá-la assim), Quintino fora aprendendo a reconhecer uma vocação que nele sempre existira, adormecida, a das artes dramáticas. A dupla paixão que tomara conta de seu ser, por Belira e pelo mundo do teatro, forneceu a Quintino o combustível necessário para perseverar na árdua estrada que havia escolhido percorrer. O esforço, a dedicação e o talento acabaram por triunfar. Nos anos que se seguiram, Quintino iria não somente realizar-se enquanto ator, como também descobrir-se um talentoso dramaturgo. Sua empresa produziria inúmeras peças teatrais, muitas delas escritas por ele mesmo, as quais seriam encenadas em todo o país, tanto por sua própria companhia de teatro como por outras. Na maioria das peças por ele criadas, havia ao menos uma parte do texto em que emergia um monólogo, o que viria a representar sua marca registrada e *pièce de résistance*. No palco, esses eram os momentos em que Freddy Quin, o ator, mais brilhava, fazendo o público irromper em aplausos. Sim, decidira manter Freddy Quin como nome artístico, o qual continuou a trazer-lhe muita sorte.

Quando amainou a tempestade provocada pela demissão da ZeroBala, Quintino procurou Dambrósio e os amigos se reaproximaram. Pouco depois, Quin e Lira tiveram uma filha, e Dambrósio foi convidado para padrinho. No aniversário de 5 anos da menina, os pais, o padrinho e os demais convidados foram surpreendidos ao ouvir a pequena Freda declarar, antes de apagar as velas do bolo, com o olhar projetado para um ponto virtual à sua frente:

"Velas e bolo pra quê?
Se eu gosto mesmo é de purê!"

Dambrósio, orgulhoso com a afilhada, sussurrou, brincalhão, no ouvido de Quintino: "Filha de Freddy, Fredinha é!"

Ensino fundamental

A algazarra era grande. Sobretudo na hora do recreio, quando os garotos viravam bólidos disparados atrás de coisas que se podia chutar, como tampinhas de refrigerante, pelotas de meias, e outros garotos. No começo da década de 1970, a diversão, nos primeiros anos de colégio, era encontrada assim, em coisas simples, mesmo num estabelecimento escolar de elite do Sul do país. Beto era um desses garotos, correndo esbaforido, com as faces suadas e vermelhas, atrás de algum folguedo, antes que o horário de recreio chegasse ao fim. Chutar as tampinhas de lata das garrafas de refrigerante era perfeito. Os novelos de meias velhas, que alguns traziam de casa para servir de bola, eram opção mais sofisticada, coisa de aspirante a profissional. Bolas de meia, porém, não faziam barulho como as tampinhas, quando deslizavam sobre o piso de cimento, não possuíam contornos serrilhados, nem podiam ser ejetadas por conta de um golpe certeiro, desferido com o bico do tênis contra a borda de seu perímetro circular. Havia verdadeiros especialistas no macete de levantar tampinhas com o pé, para depois chutá-las no ar, na direção de um gol imaginário. Beto bem que se esforçava, mas não era um desses talentos do futebol mirim. Gostava, sim, de chutar tampinhas e bolas de meia, mas chutava por diversão, não por amor à arte. Na hora do futebol de verdade, com bola grande, de couro, se atrapalhava todo. Aquele objeto redondo e fugidio era um ser estranho para ele, com o qual não havia como travar amizade, já que se comunicava num idioma de sinais que lhe era incompreensível. Preferia brincar com as tampinhas de lata, fazendo-as escorregar o mais longe possível sobre o chão de cimento, com a potência de um único chute.

Naquele tempo, os quatro anos iniciais do ensino fundamental correspondiam ao que se denominava "Primário". No colégio jesuíta em que Beto estudava, o Primário era administrado por irmãs de uma ordem católica. À época, havia relativamente poucas meninas no colégio, que, até dois ou três anos antes, admitia apenas meninos. Na terceira série do Primário, por exemplo, dos cerca de trinta alunos da sala de Beto, não havia mais que meia dúzia de garotas. Por outro lado, havia professoras, e muitas. Aliás, o uniforme da escola, para alunas e professoras, consistia num vestidinho cinza, cujo comprimento deveria descer até perto dos joelhos, mas, às vezes, chegava só até metade da coxa. E isso era mais do que suficiente para excitar a imaginação dos garotos. A única matéria ministrada pelo gênero masculino era religião. O padre Adamásio era o professor dessa matéria para os alunos da terceira série, e gostava de contar estórias alegóricas sobre os perigos da sexualidade. No entanto, como se saberia mais tarde, a verdadeira vocação do padre Adamásio não era a de professor, mas sim a de consolador de viúvas e senhoras em crise conjugal que tivessem até 45 anos de idade. O limite etário podia estender-se um pouco, a depender da situação, desde que não ultrapassasse os 50 anos. Afinal de contas, para tudo há que haver limite, inclusive para a caridade.

Por uma lente antropológica embaçada, o Primário do colégio de Beto poderia ser tomado como exemplo de hierarquia de tipo matriarcal, já que a direção do estabelecimento estava a mando das irmãs. Uma tese dessas, contudo, pouco ou nada teria de verdadeira, pois as irmãs, não podendo ser mães, careciam de um dos pilares em que se assenta o poder feminino. Sem responsabilidade direta na perpetuação da espécie humana, o poder moral das religiosas como educadoras sofria inelutável e visceral desgaste. Talvez por isso limitavam-se a papéis administrativos. Em razão de algum mecanismo do inconsciente, a proibição da maternidade esvaziava a maioria das irmãs de qualquer resquício de instinto maternal, permitindo que, no exercício de suas funções fiscalizadoras, aproveitassem a menor oportunidade para descarregar sobre os alunos, especialmente os meninos, seus rancores, recalques e ressentimentos. O "descarrego" das irmãs se dava por meio de ritos punitivos violentos como a torção de orelha, o puxão de cabelo, o beliscão e o croque, este desferido com a junta dos dedos sobre a cabeça do moleque endiabrado. Também havia o botinaço, que consistia num chute com a biqueira das botas negras, de cano baixo, de uso padronizado entre elas, aplicado sobre a canela do traquinas de plantão. Ninguém excedia em técnica e crueldade a madre superiora do colégio na aplicação desses castigos. Mas era com o botinaço que sua performance chegava ao ápice, assim como o nível de dor dos infelicitados com a punição. Talvez a excelência no manejo das técnicas punitivas constasse dos requisitos obrigatórios para que uma irmã pudesse galgar o topo hierárquico da congregação. De qualquer forma, convinha não ser levado à presença da madre, caso se quisesse evitar episódios de dor lancinante.

Embora o colégio fosse caro, a maioria dos alunos não vinha de família rica. Beto se importava tão pouco com isso que nem percebia as sutis diferenças de classe social. Para ele, o fato de usar tênis nacional de lona enquanto outros usavam os de marca estrangeira, feitos de couro, se explicaria, se necessário fosse, por questão de preferência materna, uma vez que sua mãe era quem escolhia aquilo que ele vestia e calçava. Tinha uma vida suficientemente confortável em casa e isso lhe bastava, exceto se desejasse algum brinquedo que sua mãe não lhe comprava, ao som de um peremptório: "Hoje não." Outro medidor de nível social era o tipo de transporte usado para ir ao colégio. Beto tinha noção de que alguns dos alunos tomavam ônibus de linha, mas não sabia que iam espremidos no meio da massa operária, a apinhar os coletivos nos horários de pico, nem os classificava como uma categoria menos abastada de gente. Ele, que passaria muito em breve a também usar ônibus de linha, na época ia para a escola de transporte privado, contratado para apanhá-lo na porta de casa todas as manhãs. Beto não percebia que, mesmo aí, havia diferenças dignas de nota. Enquanto ele ia de Kombi, ouvindo os ruídos da lataria e amortecedores ruins, havia os que viajavam dentro de veículos novos e confortáveis. Também havia os que eram deixados na escola, de carro, pelos próprios pais. Beto via todas essas coisas, mas não se preocupava em extrair delas qualquer significado.

Um dia, um colega, ao qual faltava um dente dianteiro, veio chamar a sua atenção para algo fora do normal que vinha ocorrendo todos os dias. Seguindo o dedo indicador apontado para a entrada do edifício do Primário, Beto viu um senhor de pele escura, trajando roupa diferente, descer de um Mercedes-Benz prateado e abrir a porta de trás do carro. Aquilo que desceu do carro para a calçada foi uma aparição, nunca antes vista por ele. Os contornos gerais eram os de uma menina, mas para Beto se tratava de um ser diferente, visivelmente superior a suas colegas de classe. O cabelo castanho despachava sinais de luz, numa demonstração de intimidade intergaláctica com as estrelas, e possuía uma lisura vertical impecável, indo terminar nas omoplatas, logo abaixo dos ombros. Sua expressão de esfinge dava a impressão de haver sido gravada na epiderme clara da região facial para durar eternamente. Em vez de caminhar como todos os mortais, ela se locomovia com garbo e leveza firmes, como se desfilasse numa passarela diante de um público imaginário. Quem era aquela criatura tão elevada? O colega sem dente notou o jeito apatetado de Beto, como se estivesse voltando a si de um nocaute. Aguardou alguns segundos mais para informar que a garota era aluna da quarta série, um ano mais velha, portanto. Não sabia o seu nome, mas ofereceu ajuda caso Beto quisesse aproximar-se dela. De que maneira?! O melhor seria escrever-lhe uma carta. Se Beto escrevesse, ele entregaria. Era evidente para qualquer um, exceto para Beto, que o desdentado não considerava estar, ele próprio, à altura do desafio, e se contentaria em desfrutar de um único, breve instante de aproximação com a beldade. Beto, por sua vez, gostou da sugestão. Tinha facilidade com a escrita. Ademais, poder contar com os bons ofícios de um intermediário era algo que o animava, pois assim não precisaria se defrontar com a destinatária, fazendo-se conhecer por meio do teor da missiva.

Uma vez em casa, decidiu escrever-lhe não uma carta, propriamente, mas um poema. O coração sensível de Beto pedia forma poética para a sua declaração romântica. Assim, nessas circunstâncias, escreveria a sua primeira poesia, que lhe desceu pronta da mente à caneta.

Desculpa
Não sei o teu nome
Só sei que és bonita
Como uma rosa
A flor mais charmosa
De todo o jardim
E o teu perfume
É um sonho
Grudado em mim
A chuva cai
Nas tuas pétalas
E te faz mais bela
Porque assim ficas
Com pérolas
Na pele

Embora Beto não tivesse meios de comparação, a verdade é que seu poemeto não estava mal para um principiante, que ainda não chegara aos 10 anos de idade completos. Indeciso sobre o título, acabou escolhendo um de gosto duvidoso: "A Flor". Abusou da pieguice ao colar pétalas de rosa vermelhas na folha de caderno, em torno do texto, e acrescentar gotas de chuva, desenhadas com hidrocor azul, caindo sobre algumas delas. Esperou que a cola secasse, dobrou a folha com cuidado para que as pétalas não se desprendessem, e enfiou o papel dentro de um envelope comum, de cor branca. No espaço do remetente, colocou seu primeiro nome. Nada mais. O encargo de identificá-lo ficaria por conta do intermediário.

No recreio do dia seguinte, o cupido desdentado entregava o envelope à destinatária, apontando o indicador na direção de Beto, que observava de longe. Ao ver que sua musa o olhava, com o envelope na mão, ainda por abrir, Beto corou e correu dali, emocionado. Durante o resto do intervalo, somente conseguiu pensar em como seria recebido o seu poema. Uma coisa era certa: deixara de ser um desconhecido aos olhos dela. E isso, à luz do regimento tácito da sociedade masculina, devia ser considerado um avanço.

Um dia mais tarde, no recreio, quando vagava, cabisbaixo, pela área descoberta do pátio central da escola pensando no que fazer para se divertir, Beto sentiu que alguém se interpunha em seu caminho. Estacou e viu a musa, em carne e osso, plantada à sua frente, séria. Ela o mirou firme, e logo, com igual firmeza, aplicou-lhe uma bofetada no lado esquerdo da face. Feito isso, a donzela ultrajada deu-lhe as costas e partiu, locomovendo-se com a costumeira elegância. Beto permaneceu alguns segundos imóvel, concentrado no esforço de reprimir o choro. Então olhou ao redor. Para sorte sua, parecia não haver testemunhas do incidente. Baixou a cabeça, de modo a ocultar os sinais de sua humilhação, e rumou para longe, o mais afastado possível dali e de todos.

Meses se passaram e o ano seguinte enfim chegou. Beto agora cursava a quarta série, última etapa do Primário. Nas vezes em que avistara a garota inacessível, depois do episódio, sempre estivera a distância segura. Aliás, ela deveria, àquela altura, ter-se transferido para o outro edifício, bem maior, onde se estudava a partir da quinta série, no ciclo então conhecido como "Ginasial". De todo modo, para alívio seu, jamais a veria novamente.

Sua turma havia mudado bastante na quarta série, com a entrada de novos colegas e um número maior de meninas na sala. Entre os novos, havia um pequeno brutamontes chamado Danilo, ligeiramente mais baixo e entroncado, que gostava de medir forças com os colegas durante o recreio, só por diversão. Também tinha o Careca, camarada de muito boa índole, que ganhara o apelido devido a seu corte de cabelo, feito a máquina. A grande novidade, contudo, era uma garota chamada Tânia, delgada e graciosa, que distribuía sorrisos de uma maneira que Beto nunca havia visto igual. Tampouco imaginara que uma garota podia dirigir-se a um garoto, como ela o fazia, com autêntica simpatia e cordialidade, sem que isso significasse o que quer que fosse de recriminável. A forma solta como se movia, com leveza ímpar, espargindo alegria a seu redor, lembrava um pássaro, desses tão coloridos e surpreendentes que parecem oriundos da imaginação, a desafiar, com passos saltitantes, a lei da gravidade e os rigores da natureza.

Com vistas a marcar o encerramento do primeiro semestre, a escola costumava organizar um passeio a local retirado, cerca de 20 km da cidade. Lá, o colégio mantinha uma boa estrutura de lazer, com ginásio coberto e campo de futebol. O que mais agradava a Beto, entretanto, era o fato de que a área construída estava circundada de vários hectares de mata. Os estudantes só podiam explorar o bosque acompanhados de algum adulto, e sempre havia professores e religiosos em quantidade suficiente para garantir a ordem. Ainda assim, mesmo sem entrar na mata, a meninada podia desfrutar daquela sensação maravilhosa de proximidade com a natureza. O ar puro que inalavam, a liberdade de movimento em espaço amplo, os sons da passarada e da brisa balançando a folhagem das árvores, tudo isso excitava os sentidos e produzia nos garotos uma euforia incomparável, que os fazia correr e pular numa frequência acelerada.

No meio da tarde, a turma foi excursionar pela mata, antes de ir embora. Estavam acompanhados da professora responsável pela classe. Uma das diversões do passeio era tentar encontrar, nas manchas de trevos que recobriam a trilha, aqui e acolá, um que tivesse quatro folhas. Árdua tarefa. Quase todos apresentavam apenas três folhas, ou duas. De repente, ouviu-se uma das meninas gritar com voz aguda. Havia encontrado o seu. Passaram-se alguns minutos enquanto prosseguiam na busca, descendo por uma ravina suave, quando Beto deparou com as quatro folhas de um. "Encontrei!", exclamou, removendo-o da terra escura. Logo após, segurando o exemplar delicadamente, pelo caule diminuto, ofertou-o a Tânia, que aceitou o singelo mimo faceira, sem nenhuma vacilação. Uma onda de autoestima tomou conta de Beto. Tinha vontade de virar símio, subir pelas árvores e saltar destemido de uma copa a outra. E também de dizer algo a Tânia, algo que ela guardaria para sempre na memória do coração. Mas Beto não sabia o que dizer. Quando muito escrevia, mas os riscos eram enormes… Por isso, permaneceu calado, tentando orientar sua atenção às coisas próprias da mata.

A certa altura do caminho, encontraram uma cerca de arame dividindo o terreno. A professora autorizou que todos a cruzassem. Fariam o trajeto de retorno naquele outro lado da propriedade. Danilo se ofereceu para apartar dois fios de arame da cerca, a fim de permitir a passagem de pequeno grupo, no qual Tânia se incluía. Beto achou estranho aquele gesto de gentileza provir do colega encrenqueiro. No momento em que Tânia cruzava a cerca, o fio de arame soltou-se e veio de encontro ao rosto da menina, ferindo a fina pele da face perto do olho direito. O desespero de Beto ao ver que a dor transfigurava o rostinho da garota, enquanto um filete de sangue escorria do ferimento, uniu-se a uma grande indignação ao perceber que o autor do ato lesivo não dava nenhum sinal de empatia, nem demonstrava o menor remorso. Enfurecido, precipitou-se sobre Danilo, que foi ao chão, com Beto por cima. Quando se levantaram, a professora impediu que a briga continuasse. Em seguida, com voz de comando, anunciou que era hora de subir pela trilha do retorno. Logo aos primeiros passos na trilha, Tânia aproximou-se de seu defensor e lhe deu um beijo de gratidão no rosto, cálido e delicado feito ela. Assim, antes mesmo de entrar no ônibus que levaria o grupo todo de volta à escola, Beto já viajava.

Ao entrar no colégio, os brigões foram levados imediatamente à direção. Ninguém lhes informou de nada, mas compartilhavam o sombrio presságio de que o procedimento disciplinar ficaria por conta da madre superiora. Depois de aguardar sentados lado a lado, temerosos, num banco escuro de madeira, viram-se conduzidos à sala de tortura. De fato, lá dentro estava a madre, ocupando boa parte do espaço disponível com sua figura rotunda. Era pouca coisa mais alta que Danilo, mas muito mais larga. Dentro de seu corpanzil caberiam, com folga, dois Betos e dois Danilos. Detrás de suas pesadas lentes de grau, duas pequenas bolas negras os encaravam, imóveis. Então, debaixo do buço peludo, seus lábios cinzentos moveram-se para indagar o que havia acontecido. Mal os réus balbuciavam suas tentativas de resposta e já eram interrompidos, de forma abrupta, por outra pergunta. Felizmente, o interrogatório foi curto. A madre possuía a sua versão do incidente, a qual, para sorte de Beto, o eximia de culpa.

Talvez o disparo do fio de arame sobre o rosto de Tânia tivesse sido acidental. Talvez o maior pecado de Danilo tivesse sido o de não haver prestado solidariedade à menina. Mas isso não interessava. A madre aproveitaria a ocasião para castigar, dos dois, o garoto encrenqueiro, que já devia estar fichado na "delegacia" da escola. Primeiro veio o puxão de cabelo, que arrancou de Danilo um leve gemido, pois pegou-o de surpresa, não lhe dando tempo de teatralizar a dor. Em seguida, um croque, acompanhado de reprimenda, que produziu, sobre a cabeça castigada, um som quase inaudível, de volume inversamente proporcional à dor. O garoto gemeu mais alto, mas sem exagero. Possivelmente, achava que merecia o castigo, devido a tantas outras peraltices que haviam passado impunes. Não satisfeita, a madre arrematou a sessão com o famoso botinaço, que desferiu com precisão de especialista sobre a canela esquerda do réu. O garoto ergueu a parte inferior da perna no ar, uivando de dor. Era para que aprendesse, e não fosse repetir o erro. Apesar de não simpatizar com o colega, Beto condoeu-se da humilhação. É claro que sentia, ao mesmo tempo, um grande alívio por não ser ele o castigado.

Os episódios marcantes da infância ajudariam Beto a entender que a justiça é sempre complexa, não deve ser nunca precipitada, e requer investigação minuciosa e isenta dos fatos. E que as generalizações são um artifício das inteligências preguiçosas, porque encobrem mais do que revelam. Falar, por exemplo, das mulheres no plural, pressupondo a padronização de suas reações, não serve de muito na vida. A postura esnobe e agressiva da aristocrata do Primário, e a vitalidade alegre e receptiva de Tânia, eram pontos situados a anos-luz de distância na curva do comportamento. Além do mais, as diferentes atitudes e reações não correspondiam a uma exclusividade feminina, podendo ser encontradas na população humana em geral, independentemente de gênero ou nacionalidade. Embora tais reflexões soassem a Beto como verdadeiras, ele nunca deixaria de se valer de prudência ao abordar uma mulher. Primeiro, viria o gesto; depois, o poema.

Quatro teses sobre Deus

Irmãos, venho vos falar sobre algo que temos ouvido com muita frequência nos dias de hoje. Que não há provas acerca da existência de Deus. E que a Ciência, por outro lado, avança rapidamente pela trilha das explicações sobre tudo o que existe. Que ela, Ciência, nos pode oferecer conforto não apenas por meio do entendimento dos fenômenos da natureza, como também por meio de respostas a perguntas fundamentais: De onde viemos? Quem somos? Enquanto, por outro lado, nos confronta com cenários possíveis para a evolução do universo e nosso destino enquanto espécie.

Eu, no entanto, vos digo, irmãos, que imaginar um universo sem Deus equivale a conceber como possível um diálogo entre rochas:

"Nossa, tô vendo tudo, Cristal…"

"Não seja grosseiro, Granito!"

"Os dois discutindo, de novo?"

"Vai se lascar, Cascalho!"

Evidentemente, à falta de uma inteligência superior, não haveria modo de se lascar o cascalho, lapidar o cristal, dar uma polida no granito, nem reconhecer o "veio" artístico do mármore. O universo seria um amontoado de matéria sem sentido, desprovido de foco e de valor, e sem nenhuma perspectiva evolutiva.

Ah, dirão os materialistas, mas e as leis da Física? Elas explicam a formação do universo. Sei... Explicam, mesmo? Dizer que a Física, ou a Química, ou a Biologia, de fato explicam o universo é como atribuir-lhes um caráter divino. Porque, na verdade, elas não explicam absolutamente nada sobre a origem misteriosa de tudo, nem sobre seu destino, muito menos sobre a razão de existirmos. Elas são apenas capazes de descrever como se comportam as partes e partículas do universo, como reagem entre si. Nada dizem sobre por que existem elementos com as características do ferro, do oxigênio, do carbono. De onde vieram? E por que conseguem, casualmente, combinar-se para gerar estruturas estáveis? Confiar na Ciência, e atribuir profundidade e transcendência a suas informações descritivas, exige que nos contentemos em reconhecer que o que aí está, está aí do jeito que está. O mundo existe porque existe e ponto. E mais: haverá ainda mais do mesmo durante bilhões de anos. Porque a Ciência não antevê nada de novo, apenas uma repetição sem fim dos mesmos fenômenos. A novidade surge de algum ponto que para ela é obscuro. Se houvesse cientistas observando a Terra há 4 bilhões de anos, teriam sido incapazes de prever o surgimento da vida no planeta. E se tivessem observado o australopiteco continuamente, durante 1 milhão de anos, não adivinhariam o Sapiens, muito menos Shakespeare.

E essa história, irmãos, de que, no princípio, toda a matéria estava concentrada num ponto não maior do que uma cabeça de fósforo? Essa é boa! De repente, uns 15 bilhões de anos atrás, acontece uma grande explosão – isso mesmo, irmãos, simplesmente acontece, assim, do nada – e essa grande explosão tem o efeito de espalhar matéria para todos os lados, por quintilhões de anos-luz... Convenhamos! Quem riscou o fósforo e depois ligou o ventilador? Falemos sério, irmãos, essa explicação é menos sustentável do que admitirmos a existência de um Ser supremo fabricando, a partir do Espírito, as condições propícias para a formação de um universo ordenado: cosmos, não caos. Chega a ser pueril a expressão usada pela ciência para descrever o início do universo: Big Bang. Parece estouro de balão em festa de criança, irmãos. Não é mesmo? A partir daí, a tia Física toma conta, junto com a tia Química, para botar ordem na bagunça dos miúdos, a correr excitados pela casa. E a Biologia? (Shhh! Não façamos perguntas inoportunas. A tia Biologia ainda vai demorar mais alguns bilhões de anos para aparecer.) Mas...se o balão estava cheio, a ponto de estourar, quem foi que encheu o balão? Aaah, mas essas coisas não se perguntam.

Outra estória boa: o nascimento da Biologia. Essa é fenomenal, irmãos. Vale a pena recordar. Imaginemos uma mistura de gases inflamáveis, sobre uma sopa primordial de matéria inerme. De repente, chega uma faísca elétrica – olha aí o fósforo sendo riscado de novo – que provoca uma reação e... Abracadabra! Tem-se o primeiro ser vivo na face da Terra. E ele já vem de mãozinha dada com a titia Biologia, que chega com ares de Vênus, pretendendo exibir poderes e exalar fertilidade, só que em vez de surgir sobre uma concha flutuante, numa bela paisagem aquática, como na famosa tela de Botticelli, a Biologia faz sua entrée numa atmosfera sombria, em meio a um ambiente pantanoso carregado de gases tóxicos. Ou seja, não abafou nada, porque já estava tudo abafado. Convenhamos: que imitação barata de divindade! Os primeiros pupilos da Biologia, uns minúsculos seres aquáticos, já nascem famintos, mas têm a sorte, vejam só, de poder aprender com a titia direitinho, passo a passo, como é que se faz para se alimentar e, dali a pouco, já logram realizar a fotossíntese. Um pouco depois surgirão outros, igualmente famintos, cujo cardápio incluirá os primeiros. Se a explicação de como surgiram os primeiros é, como vimos, inverossímil, a chegada dos segundos sequer tem explicação. De repente, chegaram, não se sabe de onde, para se alimentar dos primeiros, só porque assim é como deve funcionar o equilíbrio ecológico.

Ou seja, sua existência decorre de uma necessidade que a titia Biologia inventou e estabeleceu como regra para valer entre os sobrinhos.

Se nos detivermos um instante e pensarmos sobre as leis da Física, da Química e da Biologia, perceberemos que derivam das explicações que uma inteligência, a humana, consegue forjar para a maneira como o mundo funciona, seus processos e fenômenos naturais. Contudo, a origem de tais "leis" permanece misteriosa. Nesse aspecto, os cientistas apenas trocam uma noção espiritual, Deus, por outra materialista, Ciência. Esta, composta de diferentes áreas de saber, comporta-se como se tivesse vida própria e não fosse, no fundo, apenas um boneco de ventríloquo, divertindo o público no palco da grande comédia humana. Por meio da articulação entre suas partes, o boneco simula possuir grande talento explicativo, capaz de preencher lacunas no livro do conhecimento. No entanto, como vimos, em seu número de demiurgo o boneco entra em cena propondo que se tomem explicações absurdas como se verdades fossem, ou recorrendo, outras vezes, a artes ilusórias, com vistas a mascarar o fato de não dispor de qualquer explicação minimamente razoável sobre tal ou qual aspecto da realidade. Quando atua no papel das pretensas divindades científicas, o boneco incorpora distintas personalidades. A Física tem um jeitão meio soberbo de ser, com seu olhar superior sobre tudo. A Química é metódica e manipuladora, mas ao jogar com a intimidade dos elementos, pode tornar-se explosiva quando estes reagem mal. A Biologia é imprevisível, caprichosa, sensual, possuindo um sentido de humor que vai do negro ao obsceno. A linguagem comum entre elas se chama Matemática, só que a irmã mais nova teima em falar com uma gíria e um sotaque muito particulares, que a distanciam das outras. Ao feitio de uma adolescente, cria seu mundinho próprio e gosta de se fazer de autônoma, quando, na verdade, depende das irmãs mais velhas para tudo.

Mas não sejamos estultos, irmãos. É claro que a Ciência, esse fruto da inteligência humana, tem utilidade para nós. Aliás, uma grande utilidade. O que não podemos perder de vista, entretanto, é que a inteligência que criou a Ciência não surgiu espontaneamente. Máquinas biológicas sofisticadas como o cérebro humano, o olho, o sistema imunológico, para não falar dos genes e do DNA, não podem simplesmente provir do acaso e dele evoluir, em graus ascendentes de complexidade. Há nelas um desenho inteligente, que lhes é intrínseco. Toda forma de ordenação obedece a uma programação inteligente. Para que a ordem prevaleça sobre a desordem, é preciso vontade, energia de mando, um projeto organizador. Experimente deixar de dar ordens a seus filhos, para ver o que acontece com a sua casa. Rapidinho vira uma bagunça, irmão. Se assim acontece no espaço doméstico, medindo um punhado de metros quadrados, que dirá numa área de dimensões siderais, cuja grandeza é inconcebível para o nosso intelecto. Bagunça geral! Admitamos, agora, que esses elementos naturais, cegos, surdos e mudos – hidrogênio, oxigênio, carbono, ferro etc. – consigam se unir e, vá lá, depois de bilhões de anos cheguem a um grau de organização suficiente para que se formem sóis, planetas, sistemas solares e galáxias. Como é que esse mundo elementar chega a fabricar um gene? Como se inocula informação organizativa, de teor biológico, contendo instruções para a formação de seres que se movem, respiram, articulam sons, até mesmo sentidos, numa plataforma de base química? Como se chega à vida, e, depois, à vida inteligente e à vida consciente, num processo onde se verifica um incremento cada vez maior de velocidade evolutiva, a partir daqueles mesmos elementos cegos, surdos e mudos, que durante uns 10 bilhões de anos ficaram ocupados em formar apenas sóis e planetas, entes puramente físico-químicos, os quais, até onde sabemos, também são cegos, surdos e mudos? Por acaso os teus pensamentos são de chumbo, irmão? Ou, talvez, de amônia, ou enxofre, ou alumínio? Os meus são de ouro, irmão. Às vezes, de prata, ou de cobre... Brincadeirinha, irmão, os meus são iguais aos teus. Indefiníveis. Feitos de matéria inefável, matéria divina, espiritual.

É por isso, meus irmãos, que Deus é uma necessidade. Porque Ele está ligado a tudo o que a Ciência falha em explicar e, com notória desfaçatez, simplesmente omite. Acontece que essas questões incômodas, as mais importantes para todos nós, pelo fato de não contarem com respostas científicas são empurradas para debaixo do tapete na sala mental do homem civilizado contemporâneo. Mas todos nós, digo e repito, irmãos, todos nós, compartilhamos a intuição de não estarmos no mundo por mero acaso; de que a nossa experiência não termina com o último suspiro dado pelo corpo em que habitamos; de que seguiremos, de algum modo, no caminho de uma evolução que não é, em essência, material, mas sim espiritual. Tão certo como você pensa, sonha, ama, nesta dimensão da existência, em uma outra dimensão você também pensará, sonhará, amará, de maneira para nós não revelada, mas que intuímos como verdadeira dentro da lógica espiritual que perpassa todas as coisas. Se Deus opera suas obras sutilmente, por meio do Espírito, e essas obras são plenas de inteligência, pode-se concluir que Deus é um ser obrigatoriamente dotado de consciência. E, se age conscientemente, possui propósitos que devem ser ordenados segundo critérios de valor. Portanto, Deus deve ser dotado de personalidade moral. Ao examinarmos o mundo que temos diante de nós, não devemos nos furtar a indagar sobre o tipo de personalidade capaz de originar os resultados que observamos. Mais do que os desígnios do Criador – os quais talvez sejam, ou devam permanecer, inescrutáveis – é preciso que indaguemos sobre o tipo de personalidade criativa a reger espiritualmente o universo. Entender a personalidade de Deus – não o que lhe vai pela divina cabeça – seria, para nós, algo mais factível, producente e vantajoso – pois quiçá compreenderíamos melhor o porquê *de as coisas serem como são –, do que nos satisfazermos com explicações carentes de porquê.*

O que vos proponho, irmãos, é que sigamos juntos nessa reflexão. Para tanto, basta que continuem comigo neste curso, voltado à investigação da personalidade divina. Nas etapas seguintes, examinaremos quatro teses sobre o assunto. Nas duas primeiras, apenas procuro expor as principais crenças existentes em nossa tradição ocidental acerca da natureza de Deus e discuto os seus fundamentos. Meu trabalho, neste caso, é, mais que tudo, o de ordenar e analisar esse material, apresentando-o de forma (tanto quanto possível) didática ao público interessado. A terceira e quarta teses foram desenvolvidas por mim e representam contribuição pessoal minha ao debate sobre tema tão apaixonante. Desde logo, alerto a todos para o fato de que não há verdades absolutas nesse campo. Ao final do curso, espero que as informações e ideias apresentadas venham a colaborar, de alguma maneira, na busca de cada um por conhecimento e iluminação espiritual.

Deus abençoe todos nós. Amém!

Concluído o primeiro vídeo de *Quatro teses sobre Deus*, o pastor Adriogil Santos rejubilou-se. "Ficou bom!", exclamou, dirigindo-se à mulher. Ela concordou, balançando a cabeça, com olhos arregalados. "Penso que vai funcionar muito bem como introdução ao curso", acrescentou ele. "Você acha que vai capturar a atenção do público, Dorzinha?" Dorzinha, cujo nome completo era Maria das Dores da Silva Santos, acreditava, sinceramente, que sim. Sabia que o marido, embora disfarçasse ao máximo a vaidade intelectual, se importava com a opinião alheia. Não que quisesse agradar gregos e troianos, isso não era do seu perfil. Mas gostava de ter o seu público, de sentir que suas mensagens eram escutadas com a devida atenção e, claro, festejadas. No vídeo, ele falava detrás de um púlpito de acrílico transparente, contra uma tela de fundo cinza, sobre a qual o logotipo da igreja vinha aplicado em tons pastéis. Vestia terno azul-marinho, camisa branco-pérola e gravata verde-musgo lisa. Aos 38 anos, ainda não usava óculos, tampouco portava barba nem bigode. O cabelo negro, levemente engomado, era penteado para trás. Via-se garboso naqueles trajes, com ar compenetrado, transmitindo sua mensagem numa linguagem acessível ao público. Às vezes, tinha a impressão de soar empolado, e isso queria evitar. Por essa razão, havia desenvolvido um estilo de sermão que lhe era próprio, em que o conteúdo vinha expresso mediante a interpolação de recursos humorísticos. Nos tempos da graduação e do trabalho de mestrado, não havia espaço para esse tipo de discurso leve, criativo, bem-humorado, e o emprego de frases e fórmulas rebuscadas acabara por formar hábito, mantido ao longo dos anos de docência na faculdade de Teologia de Aroeira da Serra, seu berço intelectual. Ultimamente, depois que mudara de cidade e assumira o trabalho pastoral, evoluíra bastante na arte da comunicação com o público não especializado, para o que Dorzinha vinha sendo de especial ajuda. Ela admirava profundamente o talento de comunicador nato do marido e havia apoiado, com entusiasmo, a metamorfose de seu estilo. Fora ela que lhe dissera para não reprimir as fórmulas humorísticas, as quais pareciam brotar espontaneamente no entremeio de suas frases, e isso foi a chave para que ele desenvolvesse um estilo próprio como orador. Chegava, agora, o momento em que tinha tudo para tornar-se um fenômeno nas mídias eletrônicas. Melhor do que ninguém, Dorzinha sabia como ele podia soar convincente. Nascida numa família católica, decidira, ao final da adolescência, converter-se à fé evangélica do marido depois de uma amiga tê-la levado às escondidas ao templo onde pregava um novo pastor, chamado Adriogil. Fora uma revelação. Naquela noite, ele falou sobre Jonas dentro da baleia. Era como se ela estivesse lá, junto com Jonas, na escuridão, na umidade, até mesmo o cheiro de algas e peixe ela sentira. Três dias resistiria Jonas no papo da baleia, até que, reconciliado com Deus, fosse cuspido de volta à terra firme. Dorzinha, por obra de Adriogil, não precisou mais do que uma hora para refazer as bases de sua aliança com Deus.

Lançariam o vídeo de introdução ao curso gratuitamente no YouTube. Na descrição, colocariam o *link* para aquisição do produto por inteiro, formado por mais quatro vídeos, cada qual dedicado a uma das teses sobre Deus. O pacote completo, com os cinco vídeos ("Introdução + 4 teses"), ficava por R$ 500,00. Adriogil resistia à ideia de permitir a compra individual dos vídeos, mesmo que a R$ 150,00 cada, porque isso poderia comprometer a integridade da mensagem. Segundo ele, não havia sentido em se fazer o curso pela metade. Ainda mais do que isso, era desaconselhável: a pessoa ficaria com uma ideia incompleta da personalidade divina, o que poderia ser perigoso, pois a relação individual com Deus se veria deformada por conta de noções apenas parciais. Cada vídeo do curso estava interligado com os demais; suas mensagens se encadeavam para, no último episódio, chegar a importante conclusão sobre o tema da personalidade de Deus. Por isso, na opinião do pastor Adriogil, não era recomendável que se permitisse o desmembramento do conteúdo, ainda que a estratégia contribuísse para aumentar o lucro com a comercialização do produto. Mas o pastor não decidia sozinho. Eram recursos da igreja que pagavam pela produção do curso.

Além disso, o nome da igreja estaria em jogo, não o de Deus. A existência de Deus seguiria inabalada, assim como a milenar polêmica em torno Dele, mas a igreja correria riscos com a publicação eletrônica do curso. Falar sobre a personalidade de Deus era delicado, o assunto poderia suscitar debate, a igreja poderia vir a sofrer contratempos. Adriogil confiava na qualidade de seu trabalho, mas sabia que o lançamento do curso era aposta que implicava desafios. O fato, mesmo, de haver sido um dos fundadores da Igreja da Divina Iridescência do Espírito só fazia aumentar o sentido de responsabilidade em relação ao futuro da instituição. Por tais razões, conteve-se e tratou de não fazer de sua posição pela venda exclusiva do produto completo um cavalo de batalha. Assim, as lideranças da igreja acabaram tomando a decisão de permitir a compra de cada um dos vídeos, individualmente, pelo público interessado. Somente trechos do vídeo de introdução seriam veiculados na internet de forma gratuita, como chamariz para o curso. Também contra a vontade de Adriogil, ficou acertado que cada um dos vídeos passaria a ser vendido imediatamente após sua produção, inclusive o vídeo introdutório, que acabara de ser gravado. Com efeito, três dias depois de tudo estar decidido, surgia na internet a vinheta publicitária de *Quatro teses sobre Deus*, e o vídeo com a introdução ao curso passava a ser comercializado, em versão completa.

Quando Adriogil se preparava para gravar a primeira tese, algumas manifestações em defesa da Ciência começaram a surgir, em reação ao que dissera no vídeo de introdução. Não eram cientistas os que protestavam, porque os cientistas de verdade não dão a mínima para sermão de pastor. Afinal de contas, não vivemos mais na Idade Média, em que a Ciência estava por baixo e o discurso religioso por cima. Com o advento da era industrial, a Ciência conseguira virar o jogo, e, excetuado o caso de regimes fundamentalistas, tornara-se alicerce do *status quo* tecnológico da sociedade laica contemporânea. Poder, mais do que verdade, constituía o principal fator a assegurar-lhe a atual posição hegemônica no campo filosófico e das instituições públicas. Por isso, os que agora protestavam contra o vídeo introdutório de *Quatro teses sobre Deus*, tachando-o de obscurantista, eram gente comum, para quem a hegemonia do discurso científico interessava porque, por um lado, enfraquece a credibilidade das religiões, sempre irritantes com seus códigos, regras e ritos, enquanto, por outro, não impõe nenhum compromisso com valores morais. Gente desejosa de uma liberdade sem limites, de fundo puramente hedonista, centrada no indivíduo e convencida de "verdades" moralmente neutras. Tratava-se, portanto, de uma defesa da Ciência em nome de interesses outros, os quais nada tinham de científicos. Adriogil, que respeitava os verdadeiros cientistas, com seus inegáveis serviços prestados à humanidade, teria ficado sinceramente preocupado se as críticas partissem desse setor. Não sendo esse o caso, o pastor decidiu ignorá-las e seguiu com a gravação do segundo vídeo da série.

Irmãos, para processar o que vou lhes dizer agora é preciso que demonstrem fortaleza espiritual. Para os que ainda não dispõem dessa qualidade em grau elevado, o remédio é buscar desenvolvê-la o quanto antes. Porque a personalidade de Deus, meus irmãos, lamento informá-los, não tem nada desse Papai Noel que traz presentinho para todo mundo, exceto os que se portaram mal nos recentes dias ou meses. Deus é caprichoso. Deus é vaidoso. E gosta de mostrar que é Ele quem manda, coisa que, frequentemente, provoca desapontamento aqui e acolá, sobretudo naqueles que se veem como membros do Seu povo e, por causa disso, julgam estar imunes à Sua ira e aos Seus caprichos.

Em verdade, irmãos, ninguém tem esse privilégio, ninguém está livre da ira e dos caprichos de Deus. Na Bíblia, proliferam exemplos de situações em que Deus puniu, castigou, destruiu, derrotou, eliminou ou humilhou os que, em dado momento, faltaram com fidelidade a Ele, ou, simplesmente, não O adoravam, ou que falharam em adorá-Lo na medida por Ele pretendida. Os egípcios antigos, por exemplo, tiveram de suportar as dez pragas enviadas por Deus. Na décima, sofreram, de um só golpe, a eliminação de todos os seus primogênitos, de molde a que o faraó aceitasse liberar da servidão o povo predileto do Senhor. Vejam, irmãos, que o castigo não é apenas rigoroso, mas sim cruel. Não estamos falando, aqui, numa unha encravada no dedão, num surto de bicho-de-pé, numa constipação braba, ou num episódio atroz de diarreia. Estamos falando, irmãos, de pragas, que levaram doenças e fome a toda a população do país. Quando o envio sucessivo de nove pragas não se mostra suficiente, Deus vira uma espécie de serial killer, *um Freddy Krueger que passa, de noite, na casa dos egípcios – e passaria também na dos hebreus desavisados, que não besuntassem portas e janelas com sangue de cordeiro – para fazer a "degola" dos filhos primogênitos. Isso, hoje, seria considerado crime hediondo, genocídio, lesa-humanidade. Pensem na enorme desproporção entre o suposto erro dos egípcios e o castigo que recebem de Deus. Digo suposto erro, porque na época, irmãos, até os próprios egípcios tinham que realizar trabalhos forçados para o governo do faraó durante certos meses do ano. Três mil anos atrás, ou coisa que o valha, a servidão não tinha o mesmo estatuto criminoso de hoje em dia. O poder de subjugar o outro, de obrigá-lo a desempenhar certos papéis e tarefas, fazia parte da "regra do jogo" das primeiras civilizações.*

Não parece, irmãos, contraditório que, para esse mesmo Deus, profundamente indignado com a servidão do povo hebreu, seja justamente a obediência a virtude humana mais importante? Virtude, aliás, exigida por Ele em grau superlativo, inclusive ao ponto de se aceitar a ideia da imolação de um filho, como no episódio de Abraão com Isaac, para dar cumprimento a sentença desprovida de outro propósito que não o de comprovar uma obediência absoluta. Esse tipo de obediência, exigida por Deus a Abraão, corresponde a um desejo obsessivo de domínio por quem a exige, e, por quem a aceita, a um ato abjeto de servilismo. Essa é a verdade, irmãos. Recordemos ainda, acerca desse mesmo ponto, nossos primeiros ancestrais espirituais, Adão e Eva. Por que, mesmo, foram eles expulsos do Paraíso? Porque deram atenção à fala de uma serpente? Não. Foi porque descumpriram uma ordem de Deus, que vedava acesso ao fruto da árvore central do jardim do Éden. Faz sentido, irmãos, criar seres inteligentes e sensíveis, se eles não podem explorar a árvore mais convidativa do jardim? Só se for para testar o nível de obediência. Como o casal, afoito, não obedeceu, acabou expulso. O pecado original é, portanto, o da desobediência. Qual foi, do ponto de vista humano, o erro de Adão e Eva? O de acreditar que Deus era bonzinho, ou, pelo menos, equilibrado em seu juízo, que não fosse puni-los severamente por terem sido audazes e querido exercitar suas recém-criadas faculdades sensoriais e intelectuais. Vejam o que diz a Bíblia sobre este ponto: "A mulher viu que o fruto da árvore era bom para comer, de agradável aspecto e muito apropriado para abrir a inteligência." Por tais razões, ela o provou e o deu a seu marido, para que comesse. A serpente havia lançado a isca: se provassem daquele fruto, não é que morreriam, como afirmara Deus, mas seus olhos se abririam e eles viriam a conhecer a diferença entre o bem o mal. Isso atiçou a curiosidade humana, mais especialmente feminina, o que, evidentemente, consistiu num artifício utilizado por

Deus para testar o casal. Deus, portanto, cria a serpente para que ela desdiga o que Ele dissera, a fim de testar a fidelidade de Adão e Eva a seu preceito proibidor.

Estou, com isso, querendo dizer que Deus é, em essência, mau? Que possui uma natureza perversa? Nada disso, irmãos! A pergunta que devemos fazer é: que personalidade é essa? O que esse tipo de comportamento revela sobre a personalidade divina? Nos episódios bíblicos mencionados, Deus demonstra os seguintes traços de personalidade: autocêntrico, dominador, exigente, irascível, violento, inflexível, inseguro e cruel. A fim de impor a Sua vontade, seja a de disciplinar o uso das faculdades humanas, seja a de eleger um povo como Seu protegido, Deus é capaz de artifícios de dar arrepios na espinha. Daí, conclui-se que Deus é, em essência, um narcisista. Ele está, no fundo, mais preocupado em fazer a Sua vontade triunfar do que em contribuir para a felicidade humana. O homem não é o centro das preocupações de Deus, apenas existe para satisfazer os Seus caprichos. A única maneira de obter algum favorecimento divino é adulá-Lo, obedecer cegamente a Sua vontade, fazendo o que O agrada, e pedir, rogar, implorar, pela Sua graça. Utilizando-se terminologia sociopsicofilosófica, Deus seria um megaego, ou melhor, "o" megaego, por definição. Talvez os megaegos, que sempre marcaram presença ao longo da história humana, se orientem pelo impulso de emular a personalidade divina, ao modo como os filhos imitam os pais. Este, porém, é um tema que o Dr. Raul Reis saberá explorar muito melhor do que eu.

E vocês perguntarão: mas e os dez mandamentos? E a lei do amor? E eu vos responderei: qual é o maior mandamento? Não seria o de "amar a Deus sobre todas as coisas"? Amém? Vejam aí, novamente, a personalidade narcisista de Deus se expressando. Tem-se, também, o de "não evocar o santo nome de Deus em vão", outro exemplo de vaidade e autorreferência. Os outros mandamentos contêm instruções para preser-

var a humanidade, evitando que ela destrua a si própria – o que, além de extinguir a claque, produziria a situação mais insuportável para um narcisista: a de confrontar-se com o seu próprio fracasso. Além disso, os mandamentos representam, também, mecanismo pelo qual Deus pode exercer controle sobre os fiéis e cobrar-lhes obediência.

 Mas, se Deus é um narcisista e controlador, que deseja ser adorado e obedecido pelos fiéis, por que permite que os mesmos sofram, que padeçam, enquanto outros, que não O seguem, tenham vidas materialmente melhores? Eu sei que é difícil de aceitar, mas vou repetir: a atenção de Deus não está, em princípio, voltada para você ou para mim. Ele se importa com os Seus projetos. Se Ele tiver um projeto para a sua vida, irmão, trate de portar-se de maneira correta e tente realizar o que Deus lhe tem planejado. Do contrário, o estrago será grande. E continue orando, rogue e implore muito, porque Ele gosta, mas se ficar só orando e não tratar de cuidar do que está mal na sua vida, vai perder muito tempo esperando pela atenção divina. Se acontecer de o Senhor dignar-Se a dirigir o olhar para a sua minúscula existência, cuidado, porque Ele perde a paciência com facilidade. Ficar só na bajulação não resolve. Se você não se mover no rumo certo, Deus, caso olhe na sua direção, ficará desapontado ao não ver uma atitude positiva diante da vida que Ele lhe deu. É capaz de Ele se irritar com a sua falação oca, se você não estiver fazendo nada de concreto para resolver os seus problemas. Mas se Ele achar que você está fazendo algo que combina com o que Ele quer que aconteça, aí é sopa no mel, irmão. Ele dará aquele empurrão que fará com que se enfunem as velas do teu barco, vai fazer chover na tua horta, vai trazer um arco-íris até a tua porta. Porque Ele é o Todo-poderoso, irmão. Acredite. Pense na estória de Davi e Golias. Por que Deus abençoou Davi? Foi porque este pediu? Não. Foi porque se dispôs a fazer. Ele se ofereceu para enfrentar o gigante filisteu, quando os demais enchiam os calções só de olhar aquele *bicho feio, comprido e fedorento. Quais foram as virtudes de Davi, no caso? Inteligência? Pelo contrário, a ousadia de Davi poderia ter custado caro, e passado à História como exemplo de burrice. Quando é que um garnisé mirradinho, munido de pedra e funda, iria ter alguma chance contra o campeão dos filisteus, um manjolão de mais de 2,5 m de altura, armado até os dentes? As virtudes de Davi, que lhe asseguraram a vitória, foram a fé no poder de Deus – incluindo aquela adulação básica – e a disposição para agir. Pois imitemos Davi, se quisermos ter a mão divina a nosso favor.*

Por fim, uma palavra sobre a hipótese da existência do Mal. Irmãos, vocês acham que um Deus narcisista como o nosso iria permitir que existisse um arqui-inimigo, capaz de fazê-Lo arriscar perder o controle sobre o homem? É evidente que não. Temos que entender que o homem não é um ser perfeito; se o fosse, não precisaria de Deus, e Este não ficaria testando, de vez em quando, os níveis de obediência do homem. Pessoas praticam o mal porque somos imperfeitos e, reconheçamos, nos cansamos rápido da caminhada pela trilha do Senhor, a qual nos parece demasiado árdua, com suas placas de sinalização impondo, a todo momento, limites ao gozo desenfreado dos prazeres. Deus, por Seu turno, também afasta o homem de Si com Seu comportamento autocentrado, megalomaníaco, obsessivo, em que não se nota a menor vocação para um papel de tipo pedagógico. O problema é que não podemos pretender mudar a natureza de Deus e esperar que Se ocupe de nós, quando Ele tem alguém infinitamente mais importante com quem Se preocupar: Ele próprio. Tudo o que podemos fazer, se quisermos obter vitórias em nossas vidas, irmãos, é bajulá-Lo com fé sincera, e, reunindo toda a disposição possível, meter a cara com coragem, cuidando sempre para apenas almejar o que venha ao encontro dos propósitos Dele.

Que Deus abençoe todos nós. Amém!

Assim que o vídeo ficou pronto, as lideranças da igreja se reuniram para assisti-lo. Todos saíram da sessão convencidos de que, naquele momento, divulgá-lo seria problemático. Em certas passagens, Adriogil carregara pesado nas tintas. Dissera que Deus era narcisista, megalomaníaco, cruel... Esses trechos, se retirados do contexto lógico-discursivo, poderiam ser facilmente manipulados de má-fé, com o intuito de gerar reações inflamadas. Os protestos contra o primeiro vídeo, contendo a mensagem inaugural do curso, ainda não haviam cessado de todo. A igreja seguia recebendo comentários destemperados de pessoas revoltadas com o que entendiam constituir, no dizer de um deles, "um ataque aos fundamentos da racionalidade". Adriogil não dava importância a esse tipo de crítica, que procedia de um setor do público incapaz de entender que a racionalidade não é exclusiva da Ciência, e que os argumentos dele eram, sim, perfeitamente racionais, merecendo contestação inteligente. Mas a cúpula, preocupada, não queria que se provocasse uma onda ainda maior de reações contrárias. No debate que se seguiu à exibição do vídeo, formou-se um consenso em favor do adiamento da primeira tese. Para não comprometer demais o calendário de lançamento dos capítulos do curso, talvez se pudesse antecipar a divulgação de material mais ameno, que não gerasse tanto rebuliço junto ao público. A princípio, o pastor resistiu, pois isso implicaria alterar a programação por ele traçada. Não pôde, entretanto, faltar com a verdade: a segunda tese encaixaria muito bem na estratégia que o grupo propunha. Dorzinha, temerosa pela imagem e segurança do marido, concordava com a mudança. Assim, a segunda tese transformou-se na primeira. O vídeo correspondente foi então gravado e lançado de imediato na internet, dando-se início à sua comercialização.

Irmãos, sejais sinceros ao responder à pergunta que hoje vos faço: ao contemplarmos a Criação, o que primeiro nos vem à mente: horrores, destruição, desequilíbrios definitivos, ou, ao contrário, beleza, ordenação, equilíbrios dinâmicos? Não sendo tarados, pervertidos, psicopatas, é claro que a beleza, o senso de ordem e a noção de harmonia se impõem diante de nós, e, ao se impor, revelam balanço positivo das coisas que conformam o mundo e as nossas vidas, individualmente. Se o resultado do balanço fosse negativo, você estaria desesperado, irmão, e já teria saído por aí fazendo bobagens, cometendo desatinos, até mesmo matando pessoas ou atentando contra a própria vida. Desejo, agora, contar-lhes algo que não é, propriamente, um segredo. Sabem por que o balanço do universo e das nossas vidas é positivo, e não uma catástrofe irremediável? A resposta é, irmãos: porque Deus é bom!

Deus é essencialmente bom, e apenas os que não sintonizam com Ele e não acreditam em Suas obras colocam tudo a perder. Ao afastar-se Dele, ao renegá-Lo, tornam-se incapazes de enxergar a beleza da Criação, que envolve nossa existência. Deixam de seguir uma ordem clara de princípios, que Deus chegou a imprimir na pedra. E terminam por perder irremediavelmente o equilíbrio espiritual, passando a praticar uma série de atos feios, desprovidos de valor, e desarrazoados. Essa é a verdade. Quer beleza na tua vida, irmão? Deus nela! Quer dispor de um senso de ordem, que te permita progredir e agregar valor à tua vida? Deus nela! Quer ter equilíbrio, essa surpreendente faculdade de acolher, a um só tempo, várias coisas boas e desfrutá-las todas na tua vida? Deus nela! Sem Deus na tua vida, nada feito, irmão. Você vai construir, mas o castelo vai ruir. Você vai subir, subir, e quando julgar que chegou bem lá no alto, vai cair e se esborrachar no chão. Entenda que sem Ele ao teu lado a coisa não é sustentável. Porque Deus é energia limpa, irmão. Se o tanque do teu coração estiver abastecido com o Espírito Santo, você rodará eternamente e não ficará sem combustível no meio do caminho, nem morrerá de emanações tóxicas. É a pura verdade.

Basta que focalizemos, por breves instantes, numa única de Suas obras, e sobre ela concentremos nossa atenção, para descobrirmos minúcias que vão maravilhar a nossa alma. Cerre os olhos e mentalize, por exemplo, uma flor, do tipo que lhe vier à cabeça. No meu caso, me vem à mente a flor do hibisco. Imagine a sua flor detidamente; deixe, agora, a sua imaginação percorrer o perímetro dessa flor; caminhe, feito formiga, pela superfície macia de suas pétalas; inale seu perfume, como se abelha fosse; depois, mergulhe pelo aparelho reprodutor adentro, e siga descendo pelas paredes internas de sua haste e de seu caule, imerso em seiva licorosa e doce; ao chegar às raízes, tome uma das várias bifurcações e vá afundando ainda mais em solo tenro; observe a planta sorvendo os nutrientes úmidos que só ela consegue extrair, para depois subir pelo trajeto inverso, ascendendo até chegar às folhas; do interior de uma delas, sinta a força da energia solar aquecer aquela epiderme esverdeada e impulsar o funcionamento de uma engrenagem sutil, muito mais engenhosa do que qualquer máquina já inventada, espécie de usina biológica destinada a processar os nutrientes, cuja extração você observou, para transformá-los em alimento vegetal, fonte de perpetuação da vida no planeta. Considere, agora, que tais imagens compõem apenas uma cena, um recorte breve e pequeníssimo, na imensa obra cinematográfica do dia planetário. Abra, então, os olhos, sintonize qualquer canal de notícias e compare as sensações de sua recente experiência de maravilhamento com as originadas dos fatos cotidianos produzidos pela humanidade. Percebeu a diferença? Uma coisa é Deus; outra, é o homem. Se nos alienarmos das coisas do Senhor, então adeus maravilhas, adeus sutilezas, adeus poesia. Ficaremos no nível do ruído, sem conhecer o que é música.

As coisas de Deus são capazes de nos redimir de várias maneiras. Até no sofrimento, quando este provém de Deus, há beleza. Mas se Deus é bom, por que então temos que sofrer, pastor? Eu vos digo, irmãos: sem sofrimento, não amadureceríamos nunca. Permaneceríamos eternamente infantis, clones de Adão e Eva no paraíso. Os dias seriam um igualzinho ao outro, sem novidade, sem prazeres sensuais, e assim para sempre. É disso que você gostaria, irmão? Não? Então, sofra e não reclame! Deus permitiu ao homem escolher entre uma existência eternamente dependente Dele, protegida, feito relação de criança com adulto, e uma vida de aventura, voltada à autossuficiência, com base na exploração do mundo e das capacidades com que Ele generosamente nos aquinhoou. Os nossos ancestrais espirituais – desavisadamente, é verdade – escolheram o desafio da autossuficiência. Palmas para eles; mas, aí, entra o sofrimento, entendeu? Como bem sublinha a sabedoria popular, não dá para ter tudo na vida, nem o melhor de dois mundos. O sofrimento ensina que a existência, no fundo, não nos pertence, sequer a podemos pilotar direito com as nossas faculdades humanas. Mas é o que temos, e é muito! Amém? Não seria justo, a esta altura, agirmos como adolescentes revoltados e entrar em conflito com o Criador porque a vida não é do jeito que gostaríamos que fosse. Talvez não seja, mas o fato é que poderia ser. A questão, irmão, é que ajeitar as coisas, corrigir os problemas, dá trabalho. A tendência humana a fugir do trabalho é algo que complica enormemente a realidade, pois problemas sem solução só fazem aumentar e gerar novos problemas. Por isso, cumpre-nos recordar, todos os dias, que o trabalho é parte intrínseca e central do projeto humano de autossuficiência, desde quando saímos do Paraíso para dar curso livre aos nossos desejos e aspirações. Portanto, fazer com que as coisas melhorem é tarefa humana, não divina. Para tal, reconheçamos, tudo já nos foi dado. Só o que nos cabe é agradecer e prosseguir na labuta diária, semeando para colher ali adiante. E não esqueçamos que o projeto humano, para dar certo, inclui responsabilidades: com a provisão do nosso sustento material; com o desenvolvimento de nossas capacidades morais e intelectuais; e com o nosso aprimoramento espiritual, em que se vão refinando as condições para o entrelaçamento holístico das dimensões da vida, cada uma em apoio às demais, por meio da comunhão com a graça divina.

Então, pastor, está correto afirmar que a preguiça é a mãe de todos os pecados, e que a mente ociosa é a oficina do Diabo?

Irmãos, antes de falar dessa figura metafórica, o Diabo, devemos ter sempre presente que Deus respeita a decisão do homem de caminhar pelas próprias pernas. Aplaude o desejo humano por crescimento pessoal. Julga legítimo o orgulho que o homem sente em poder decidir por conta própria. Deus preza o livre-arbítrio da humanidade, conquistado, com boa dose de ingenuidade, por Adão e Eva. Entretanto, o livre-arbítrio somente pode subsistir se Deus evitar intervenções frequentes, especialmente as que viessem retirar de nossos ombros o peso das consequências pelos nossos atos. Se Deus nos socorresse o tempo todo, estaria nos infantilizando. E isso seria paradoxal, já que fomos nós que, de certa forma, escolhemos, e continuamos a escolher, o nosso destino. Só que a realidade pesa, irmãos, e, às vezes, o seu peso é esmagador. Deus sabe disso, é claro. Mas por que esse peso se torna esmagador? Acaso é por culpa de Deus? Se o homem cumprisse, irmãos, diligentemente, rotineiramente, as suas responsabilidades fundamentais, elencadas instantes atrás, os problemas iriam diminuir progressivamente, e lograríamos transformar a realidade da água para o vinho. Ocorre que o homem sempre, em alguma medida, trata de poupar-se de tarefas trabalhosas. Em seguida, ao descobrir a gravidade dos problemas decorrentes de seus erros e omissões, inventa uma narrativa para justificá-los. O Diabo é o mais famoso artifício inventado pelo homem para dar justificativa a suas falhas. Não tem assunto humano em que o Coisa-Ruim não se meta para, supostamente, desviar o homem dos seus deveres morais. E por que isso? Por que razão Satanás trabalharia tanto pelo erro humano? Resposta mais aceita: porque planeja a derrocada última do Criador. O fracasso da mais ousada experiência criativa de Deus – o homem – teria efeito desmoralizador tão impactante, que acarretaria a perda do comando divino sobre a Criação. Parece o enredo de Guerra nas estrelas, *não é mesmo, irmão? A luta do Mal contra o Bem, a ordem obscura dos Sith contra a luminosa ordem dos Jedi. A verdade é que a explicação pela via demoníaca, apesar de engenhosa, e de prestar-se a narrativas de sabor literário que podem ser até divertidas, não passa de fabulação. É muito conveniente ao homem imaginar-se objeto de disputa entre dois seres poderosos. Além de valorizar-se, o que sempre agrada ao ego, ainda o transforma em vítima de estratagemas ardilosamente maquinados pelo Mal, em lugar de responsável por seu próprio papel no drama da realidade. O que a crença no Diabo faz é infantilizar o homem, irmãos. Devemos assumir os nossos erros como nossos e, a partir desse reconhecimento, trabalhar duro para corrigi-los e evitá-los. Nesse contexto, a noção de que a preguiça seria a mãe de todos os pecados decerto faz sentido. Ao impedir que o homem cumpra as suas responsabilidades a contento, ao desviá-lo do esforço para corrigir e evitar os seus erros, a preguiça abre múltiplos flancos ao enfraquecimento do projeto humano de autoafirmação, o qual vai sendo então diminuído, fragmentado, espicaçado, até o ponto em que se dá por vencido.*

Devemos, todos, entender em definitivo que não existe o Mal. Deus deu voz à serpente para que, com sua astúcia, impulsionasse o primeiro casal humano a abandonar a cômoda situação paradisíaca. Em outras palavras: para estimulá-los, indiretamente, a sair da casa paterna. Porque Deus não inventou o homem para estar numa relação de dependência eterna com Ele. Deus quer que o homem evolua, teste suas habilidades, desenvolva suas potencialidades. Deus agiu com Adão e Eva como faz um pai com o filho acomodado, quando o expulsa de casa para que ele cresça e tome seu rumo. Isso é amor, irmãos. E é tamanho esse amor, que Deus assumiu parte da culpa pela expulsão, como se fosse Ele um ser vingativo e inflexível. Urge, assim, que reconheçamos a elementar verdade sobre essa estória: conforme já dissemos, Eva e Adão deixaram o Éden porque passaram a desejar usufruir de possibilidades que o Paraíso não oferecia. Isso, por estranho que possa soar, estava nos planos de Deus, não de um suposto inimigo simbolizado na serpente.

Agora que entendemos que o Mal sequer existe como entidade, tratemos, irmãos, de reconectar-nos com Deus, nosso Criador, que nos ama, acompanha e guarda respeito pela nossa liberdade. Reconheçamos os dons Dele recebidos como extremamente valiosos, sinal de Seu amor por nós. Reiteremos o compromisso de assumir, em toda a extensão, as responsabilidades próprias de nossa condição de seres que se querem independentes. E agradeçamos, sempre, por tudo, na confiança de que Deus ajuda os que procuram entrar em sintonia com Ele. Nesse sentido, tenhamos, por fim, em mente que a graça divina é como um límpido riacho. Sua água cristalina está aí, à disposição de todos, mas somente aqueles que se inclinam em sua direção chegam a bebê-la e saciam sua sede.

Que Deus abençoe todos nós. Amém.

As lideranças da Igreja da Divina Iridescência do Espírito aplaudiram a publicação do vídeo, cujas vendas dispararam. Choviam comentários elogiosos, inclusive de muitas pessoas desejosas de trilhar um caminho espiritual, ou que estavam insatisfeitas com sua confissão religiosa. À luz dessa reação positiva, a igreja projetava o ganho de inúmeras adesões na esteira da primeira tese. Claro que também havia críticas, como sempre há, mas eram relativamente poucas e provinham, como esperado, de congêneres cujas doutrinas estavam centradas na luta entre o Bem e o Mal, entre Deus e Satanás, em sua disputa pelas almas humanas. Para tais igrejas, a primeira tese do pastor Adriogil soava como anátema, cujo efeito principal seria o de desorientar os fiéis e distanciá-los da prática religiosa. Porém, como a mensagem do vídeo não continha nenhum marketing direto da igreja de Adriogil, as concorrentes preferiram não criticar demasiado, para não causar o efeito reverso de publicizar ainda mais o vídeo e o curso em questão. Após duas semanas, a cúpula da Igreja da Divina Iridescência do Espírito passou a discutir sobre a conveniência de se realizar de uma vez o lançamento do material gravado anteriormente, contendo a primeira tese, que fora reclassificada como segunda tese sobre Deus. Dorzinha estava reticente. Achava que aquele vídeo, uma vez divulgado, traria complicações. Por isso, convenceu o marido a propor que a segunda tese fosse lançada juntamente com a terceira, como forma de diluir seu impacto. Adriogil julgou a ideia pertinente, e a proposta terminou sendo aceita pelos demais líderes da igreja. O vídeo relativo à terceira tese sobre Deus foi, então, rapidamente produzido, com vistas ao lançamento duplo, programado para acontecer nas 48 horas seguintes à gravação.

Irmãos, vos digo que Deus possui humor oscilante. Vocês já devem ter percebido que há momentos em nossas vidas nos quais tudo vai bem, os projetos caminham de vento em popa, as ideias brotam fáceis em nossa mente, atingimos metas, conquistamos objetivos, nossa autoconfiança aumenta, parecemos atraentes às demais pessoas... Em síntese, vivemos com a sensação de que estamos em alta. Passam-se semanas, ou meses, e, quando nos damos conta, o panorama é outro. Tudo parece ir mal.

Os projetos não andam, às vezes desandam, nossa mente parece estar embotada, suspendemos metas, desistimos de objetivos, a insegurança aumenta, deixamos de ser atraentes aos olhos das outras pessoas, como se tivéssemos ficado feios de repente... Nesses períodos, vivemos com a sensação de que estamos em baixa.

E por que é assim, irmãos? Por que as nossas vidas oscilam entre esses dois polos: o positivo, quando estamos em alta, e o negativo, quando estamos em baixa? Por que tantos picos e depressões? Pois eu vos digo: não é mera casualidade o uso disseminado que fazemos da luz como metáfora para a presença divina. Aprendemos, todos, que a luz se comporta como onda, apresentando picos e depressões em sua trajetória. E mais, a luz possui natureza dual, corpuscular e de pura energia eletromagnética. Assim é Deus. O padrão oscilatório e cíclico que observamos na natureza e nas nossas vidas reflete a personalidade de Deus, que é bipolar. Segura essa, irmão! Bipolar, eu disse. Ou seja, Deus transita entre a euforia e a depressão, e isso se reflete na sua vida, na minha, na de todo mundo. Essa é a verdade. Tem sido assim desde o começo da Criação. Quando criou o universo em que vivemos, Deus teve um primeiro momento de euforia. Criou sóis, planetas, luas, asteroides, e, exultante, deu umas instruções àquela massa de matéria, para ser seguida feito receita de bolo. Logo a seguir, deixou tudo no ar, e ficaram aqueles corpos celestes enormes boiando na imensidão do espaço sideral, a esmo, durante uns 10 bilhões de anos. O bolo cresceu, agigantou-se, extravasou, passou a não mais caber na forma de uma só galáxia, e nada de Deus reaparecer. Estava amuado, tinha perdido o interesse, achava a Criação um saco, com aqueles fenômenos que se repetiam, e se repetiam... Um belo dia (provavelmente não tão belo assim), cerca de 4 bilhões de anos atrás, Deus tem uma ideia para um novo invento, que o tira da depressão: "Vou criar uns bichinhos que se movem e que sejam capazes de crescer e se reproduzir." Deus, então, cria os bichinhos, e depois fica mexendo aquela sopa primordial com o dedo indicador, aquele mesmo que Michelangelo retratou tão bem na cúpula da Capela Sistina. Lá pelas tantas, o Criador se cansa de agitar a sopa, lambe o dedo, dá umas instruções para os bichinhos e some. Não se sabe mais dele por um bom tempo. Enquanto isso, os bichinhos crescem, se reproduzem, se multiplicam, se diversificam, surgem peixes, depois lagartixas, e lagartos, e lagartões, e, quando se vê, a Terra está infestada de monstrengos famintos, com o poder de nocautear com um pum animais menores, como os mamíferos, por exemplo. Passados uns 3 bilhões e meio de anos, Deus resolve dar uma espiada em como andam as coisas, se assusta com o descalabro reinante e ordena a um grande meteoro que colida imediatamente com a Terra. Depois da catástrofe, já extintos os dinossauros, o Senhor articula um par de instruções aos animais que sobraram, para que controlem o apetite e não cresçam tanto, e volta a sumir. Dali uns 65 milhões de anos, Deus torna a se interessar pelo planeta azulado, juntamente com a vida que nele semeara. Qual não foi Sua surpresa ao notar que uma das espécies de Sua coleção de macacos fazia um enorme esforço para andar ereta. Deus gostou daquela atitude evolutiva e pensou: "Por que não fazer essa pobre criatura parecer-se um pouco comigo? Se for só um pouquinho não vai fazer mal nenhum..."

Deus interessou-se mais pelo tal macaco do que pelos outros animais e por todos os corpos inorgânicos juntos do universo. Gostava de vê-lo evoluir. Vez por outra, dava uma espiada, metia mais uns quantos neurônios no cérebro da criatura e aproveitava para assoprar uma deixa no seu ouvido. Com esse tratamento preferencial, rapidamente a criatura foi virando outra coisa, que o Criador passou a chamar de "homem". Quando, há uns 500 mil anos, o homem já fabricava, graças aos sussurros do Altíssimo, utensílios de pedra, osso e madeira, ganhou de presente um método para iniciantes sobre como fazer fogo. A partir daí, houve *festa em torno da fogueira e muito churrasco nos acampamentos. Deus gostava daquela animação e, lá pelos 70 mil anos atrás, resolveu apressar a evolução humana, expandindo a inteligência da espécie. Em seguida, deu umas instruções básicas sobre como fazer para dominar a Terra e retirou-se de cena. Depois disso, andou realizando contatos com um ou outro profeta, até arriscou escrever certas dicas em tabloides de pedra. Cerca de 2 mil anos atrás, Deus reapareceu pela última vez. Desta feita, Ele inventou de materializar-se por inteiro, como filho Dele mesmo, dizendo ser nosso irmão. No começo, pouca gente acreditou. Como é que Deus podia aparecer assim, na forma de um belo jovem, envolto numa túnica branca, de cabelos longos, olhos claros, transformando água em vinho e pregando paz e amor para todos, sendo que o mundo já era o que era, cheio de injustiças, misérias e guerras? Mas quando, pregado na cruz, declarou-se abandonado por Ele próprio, aí muitos acreditaram, irmãos. Graças a Deus!*

Convenhamos, o nosso Deus é surpreendente. Quando está na fase da mania, e não da depressão, Ele gosta de inventar, e é justamente por causa desse traço maníaco de Sua personalidade que nós existimos. Quando não está inventando nada, é sinal que está deprimido, e, nessas ocasiões, fica sorumbático, antissocial, não quer mais ver ninguém. A casa pode cair, que Ele não vai Se importar. Depois, quando o humor muda de polo, põe-Se a arrumar a bagunça, quer seja criando ou destruindo.

Então, pastor, quer dizer que Deus é quem cria as catástrofes do mundo em seus momentos de depressão?

Preste atenção, irmão. Não foi isso o que eu disse. Não é Deus quem cria os desastres da humanidade e do mundo. Fome. Guerra. Violência. Nada disso é produto direto da ação divina. Porém, devemos ter presente que fomos criados um pouco à Sua imagem e semelhança. Sendo assim, irmãos, é natural que algo da personalidade bipolar de Deus tenha sido transferido para nós. O problema é que nós não possuímos a grandeza do Criador, os Seus imensos recursos de intelecção, a Sua infinita sabedoria. Por isso, em vez de, a exemplo do Senhor, retirar-se de cena na fase depressiva de sua bipolaridade, o que faz o homem? Põe-se a destruir aquilo mesmo que havia logrado construir. Em vez de recolher-se, humildemente, ou buscar ajuda no próximo, o homem deprimido vira um ser violento, dirigindo sua fúria aniquiladora sobre tudo o que julga constituir motivo para sua depressão. Mesmo na fase eufórica, o homem é capaz de fazer acompanhar os seus impulsos criativos de picos de megalomania, momentos em que é comum transferir a sua agressividade contra o que possa representar ameaça aos seus projetos e ambições.

Recordai-vos, irmãos, do que eu vos disse no início de minha fala, sobre as oscilações que se fazem sentir em nossas vidas? Seria errôneo de nossa parte atribuí-las a Deus diretamente. O mais correto é encará-las como processos fabricados inconscientemente por nós mesmos, com base em traços herdados da bipolaridade divina. Quando estamos no polo eufórico, temos a sensação de que tudo em nossa vida está entre o bom e o ótimo. Mas quando transitamos da euforia para a depressão, sentimos que tudo se situa entre o ruim e o péssimo. São os reflexos, em nossa alma, da bipolaridade herdada do Pai celestial. Se é assim, o que fazer para lidar com essa situação? Como nos relacionar com um Deus bipolar? Podemos contar com Sua ajuda?

Queridos irmãos, adiantaria se vos dissesse que de nada vale pedir ajuda ao deprimido? Como supor que alguém em tal condição psicológica, em meio a grave crise depressiva, vai nos ajudar? Impossível. Vocês retrucarão que para Deus tudo é possível. De fato, mas Ele tem que querer. E Ele só desejará fazer algo caso esteja no polo positivo de Seu humor. Do contrário, nada feito. Aliás, cuidado, porque incomodar o deprimido poderá enfurecê-Lo. É como gritar ao ouvido de quem está numa crise de enxaqueca. Imagine que você está triste, acabrunhado, trancafiado em seu quarto, sem ânimo para nada, e alguém não para de bater à porta, insistindo para que você saia para resolver um problema que não é seu. Chega a ser cruel, não é verdade? Portanto, irmãos, não sejamos cruéis nem inconvenientes, respeitemos a privacidade do Senhor. Ele nos ama, e continua a querer-nos bem. Como podemos estar certos disso? Pergunte a algum fóssil de dinossauro o que acontece quando Deus se amofina severamente com Suas criaturas. Não é o nosso caso, pelo menos por ora. Mas como sabermos se Deus está recolhido ou está ativo? Se Ele estivesse ativo, provavelmente teríamos claros sinais de Sua presença entre nós. Lembrem-se de que Ele foi materializando a Sua presença cada vez mais ao longo da história. Ou, ainda, sentiríamos a força de Seus atos, provocando alterações na ordem vigente no planeta. Seria prudente, contudo, que o homem aproveitasse o período em que Deus Se encontra ensimesmado para colocar, ele próprio, ordem na casa. Mas, não havendo modo de essa hercúlea tarefa ser executada pela humanidade, e, então, quiserdes orar para pedir alguma graça, rogai por clemência, irmãos, implorai a misericórdia divina. Porque caso Ele volte o Seu olhar para nós em estado de euforia e encontre o mundo tal como está, desejará, provavelmente, lançar-Se em novo projeto evolutivo, tentando a sorte com outra de Suas criaturas. Se eu fosse Deus, apostaria no golfinho.

Que Deus abençoe todos nós. Amém.

Infelizmente, a publicação simultânea da segunda e terceira teses sobre Deus não produziu o efeito tão almejado por Dorzinha. O clamor dos protestos subiu muito de tom e volume, levando a Igreja da Divina Iridescência do Espírito a fechar suas portas. Manifestantes picharam as paredes da sede com dizeres ofensivos, que também apareciam na enxurrada de mensagens eletrônicas a inundar as mídias sociais e a caixa de entrada do correio eletrônico da igreja: "Pastor bipolar", "Pastor narcisista", "Igreja pervertida" e coisas muito piores, que incluíam maldições ("queimarão todos no fogo do inferno"), xingamentos grosseiros e, o que era mais grave, ameaças de violência física. Do lado comercial, entretanto, a empreitada seguia às maravilhas. Os vídeos vendiam mais que pão quentinho em padaria, o que provocava reações ainda mais iradas da concorrência. Era opinião predominante que a polêmica em torno das teses açulava a curiosidade do público, fazendo aumentar, cada vez mais, a expectativa sobre como seria o desfecho do curso.

Nesse contexto, a cúpula da igreja combinou de reunir-se em segredo na residência de um dos membros. O encontro só não podia ser realizado na casa de Adriogil e Dorzinha, porque o endereço vinha sendo constantemente vigiado. Inclusive, a participação de ambos seria feita por meio de videoconferência, para evitar que fossem hostilizados ao sair de casa. O foco da conversa era a gravação e divulgação do último capítulo do curso. Alguns defendiam que as operações fossem adiadas por, pelo menos, um mês. Outros desejavam concluir o curso o quanto antes, de modo a capitalizar a onda de interesse que se levantara a seu respeito, a qual crescia, silenciosa e pacífica, prometendo tornar-se consideravelmente maior do que a de protestos. Adriogil se encaixava neste último grupo. Dorzinha hesitava entre a cautela e o apoio incondicional a ele. Fiel ao coração, acabou apoiando a posição do marido. A opinião do casal fez a balança pender para o lado da produção e divulgação imediatas do último vídeo do curso.

No dia seguinte, Adriogil ensaiava seu pronunciamento quando o celular tocou, e Dorzinha, para não o interromper, atendeu a chamada. Uma voz masculina pediu para falar com o pastor.

Dorzinha identificou-se e disse ao interessado que adiantasse o assunto com ela, pois seu marido estava ocupado no momento. A voz anônima falou que tinha um aviso importante para o pastor: os seus dias neste mundo estavam contados. O Senhor, afirmou ele, aparecera em sonho, apontando, num calendário, para o mês em que estavam; os meses seguintes levavam sobre eles a letra xis pintada com sangue, num sinal de que haviam sido cancelados. "Mas o que tem a ver esse sonho com o meu marido?", perguntou Dorzinha. A voz respondeu com outra pergunta: "Quando é o aniversário do pastor?" "No final deste mês", disse ela. "Exatamente", concluiu a voz, "da data de aniversário ele não passa." E desligou. Um arrepio gelado partiu da nuca de Dorzinha e percorreu suas costas. Com o estômago a retorcer-se, contou ao marido sobre o telefonema. A princípio, Adriogil quis minimizar o acontecido: "Cão que ladra não morde", observou. Dorzinha não achou a menor graça. Depois, ele argumentou que não podiam ceder a ameaças desse tipo, pois era isso, justamente, o que aquela gente queria. Dorzinha não disse nada, apenas desatou a chorar, trazendo à face uma expressão de pavor até então desconhecida para ele. Naquele instante, Adriogil compreendeu que não seria justo permitir que a sua adorada companheira sofresse daquela maneira. Mudando de tom, consolou-a e propôs que examinassem juntos uma saída.

Três dias depois, o casal fazia *check-in* no Aeroporto Internacional de Guarulhos. Viajariam primeiro para o Chile, de férias, e, de lá, depois de colher o visto para os Estados Unidos, seguiriam para Miami, onde o pastor estava incumbido de abrir uma filial da Igreja da Divina Iridescência do Espírito. Na véspera, enquanto Dorzinha preparava as malas e tomava as últimas providências práticas para a partida, Adriogil havia gravado o vídeo com a quarta tese sobre Deus, cuja publicação na internet poria termo ao curso. Ele não sabia ao certo como reagiria o público àquele final de *Quatro teses sobre Deus*, mas tinha fé que sua mensagem, com o tempo, seria devidamente assimilada e compreendida. Não por todos, evidentemente. Mas pelos que de fato se interessam por investigar a natureza de Deus e construir com Ele uma relação em bases, tanto quanto possível, satisfatórias para ambas as partes.

Irmãos, se acaso vos perguntasse qual é a natureza de Deus, sei que, sem hesitar, responderíeis: a natureza de Deus é trina. Bravo! Corretíssimo! Afinal de contas, Deus é Pai, é Filho e é Espírito Santo. A vinda de Jesus deixou isso bem claro, ao revelar a pessoa do Filho, sob os auspícios do Pai, e anunciar a bênção do Espírito Santo sobre os apóstolos, ao momento da partida do Messias. Mas e a personalidade de Deus, que natureza tem? Pois eu vos digo, irmãos, que também ela possui natureza trina, só que em dois sentidos diferentes. Primeiro, a personalidade de Deus é trina porque engloba os perfis descritos nas três teses anteriores, revelando-se ao mesmo tempo narcísica, altruística e bipolar. Em segundo lugar, a personalidade de Deus é trina porque compreende as características de três fases distintas de amadurecimento: infância, adolescência e maturidade.

"Não pode ser, pastor!", exclamarão vocês. "A esta altura, o senhor vem nos complicar ainda mais as ideias, dizendo que a personalidade de Deus é mais complexa do que a Sua natureza divina, já por si difícil de entender?" Sim, irmãos, e sabem por quê? Porque também Ele está evoluindo e amadurecendo. Essa é que é a verdade. Não somos apenas nós que nos comportamos de maneiras diferentes enquanto transitamos por fases progressivas de amadurecimento. Deus também passa por processo similar. De novo: somos seres feitos, até certo ponto, à Sua imagem e se-

melhança. Só que menos complexos do que Ele, evidentemente. Portanto, o drama do amadurecimento de Deus é infinitamente mais grandioso e intrincado que o nosso. Amém?

Inspirados por Ele, investiguemos a trajetória de Deus em seu processo de amadurecimento, valendo-nos dos dados de que dispomos sobre a Sua história.

Imaginemos, a princípio, a infância divina. Nessa fase, Deusinho brinca com os elementos do universo, esparramando-os pelo espaço, modelando formas do mesmo modo como faz toda criança ao brincar com argila ou massinha colorida. E faz bolinhas que são planetas, e outras aquece com o seu hálito, que viram sóis. Depois, cansado daquilo, dá um impulso no carrossel cósmico, para que o mesmo não pare de rodar, e passa a fabricar outros brinquedos, do tipo que se move sozinho. Deusinho se diverte, dá gargalhadas vendo os micróbios pululem numa sopa espessa, onde se chocam uns com os outros. De repente, Ele inventa de acoplar um rabicho num deles, dispositivo que viria a chamar de flagelo, e aquele ser sai rebolando, agitando o rabicho pra cá, pra lá, e Deusinho não para de rir. E vários novos brinquedinhos vão sendo criados por Ele, no afã de entreter-Se, pois aquilo é muito mais divertido do que ficar explodindo estrelas para com o material disperso ir fabricando mais e mais bolinhas que giram. A brincadeira prossegue, os bichinhos vão crescendo, e Deusinho também, em sentido figurado, claro.

Chega o início da adolescência. Deus, agora, já não aceita ser chamado de Deusinho e cansou de brincar de monstro. Perdeu a graça ver carnívoros gigantes devorando herbívoros ainda mais gigantescos. Enfadado com cenas que se repetem, se repetem, e sempre se repetiriam, Deus resolve pôr fim naquilo. Numa impressionante demonstração de poder, o Jovem arremessa, lá do alto, uma de suas enormes bolinhas de rocha em cima da Terra, dizimando a maior parte da vida no planeta. Depois, passa a experimentar com animais revestidos de penas, e com outros, revestidos de pelos, mas sente faltar-Lhe alguém com quem possa estabelecer algum nível de interlocução. Movido por esse sentimento, nosso Deus adolescente cria o primeiro homem. Excitado com a invenção, começa a falar com aquele novo ser. Deseja contar-lhe sobre a história da Criação, compartilhar com o homem as suas alegrias e frustrações. O homem, entretanto, anseia por participar do processo criativo, talvez inventar algo ele próprio, fabricar e consertar coisas com as próprias mãos, ou, ao menos, jogar com Deus algum tipo de jogo, lançar-Lhe um coco para que Ele o lance de volta, coisas do tipo. Deus compreende que, se quiser conversar e desabafar com alguém, terá que criar outro ser diferente. Então, testando um design *mais arrojado, Ele confecciona a mulher a partir de uma costela arrancada do homem. É provável que, ainda adolescente, Deus tenha sentido certo prazer em submeter Adão a tal procedimento cirúrgico, fazendo sofrer um pouco a criatura que o decepcionara. A mulher, por seu turno, responde com maestria aos propósitos do jovem Criador. Mais do que só escutar, passivamente, ela indaga, questiona, futrica. O Adolescente adora aquilo. O problema surge, porém, quando a mulher passa a opinar demais, dando palpite sobre as obras divinas, querendo transformar jacaré em bolsa, sapato, cinto... A serpente, intuindo que sua sorte poderia ser semelhante à do primo jacaré, não gostou nada disso e armou para Eva a cilada que conhecemos bem, levando-a com jeito a descumprir, com Adão, a única proibição que Deus lhes havia imposto. Inseguro, o Deus adolescente pune o casal, afastando-os para longe. Jura para Si mesmo nunca mais futricar com Eva, nem jogar com Adão. E assim ficam as coisas durante milhares de anos. Ao final da adolescência, Deus começa a rever suas atitudes e, um tanto arrependido de Seu excesso de severidade, resolve ceder ao impulso de reaproximar-Se do homem. Como não quer dar o braço a torcer de vez, decide comunicar-Se com* um único povo, o qual resgata do cativeiro, guia através do deserto, protege contra os inimigos, favorece entre as demais nações. Passado algum tempo, Deus começa a pensar no homem em geral, em seus problemas e em sua sorte enquanto espécie. Ele percebe, então, que a parceria com um só povo fora capricho Seu, e que essa aliança não fizera do mundo um lugar melhor. Haveria, portanto, que investir numa evolução espiritual em larga escala, que passasse, inclusive, por Ele próprio.

O primeiro e único sinal, até o momento, da entrada de Deus na maturidade é a vinda de Jesus. O envio de seu Filho à Terra nos fala do renovado interesse de Deus pelo homem, como também do desejo divino de evolução pessoal. Com a vinda de Jesus, vemos o lado altruístico da personalidade de Deus coincidir com o polo positivo da bipolaridade divina. Uma feliz coincidência, sem dúvida. Não se sabe exatamente qual a probabilidade de que tal conjunção volte a ocorrer, mas é provável que seja pequena e remota. O fato é que o advento da vinda do Senhor, na pessoa de Jesus, Seu Filho, trouxe novo alento ao homem. Sem exceder-Se em literalidades, Jesus nos indica, por meio de Seus ensinamentos em forma de parábola, e de Seu exemplo de vida em dimensão humana, que o Pai deixara de ser aquele sujeito narcisista, caprichoso, inflexível e por vezes colérico que Se manifestara até a véspera, e que, doravante, passaria a relacionar-Se com o homem de outra maneira. Falou da vida após a morte, garantindo que haverá, no Reino dos Céus, uma morada para todos os que cumprirem a lei de Deus. Atenção: a regra de ouro, agora, passa a ser seguir o exemplo do Filho, enviado pelo Pai para lançar as bases do novo relacionamento e também, por consequência, da salvação das almas humanas. A partir de Jesus, a salvação virá para os que sejam capazes de amar o próximo, arrepender-se dos próprios pecados, e perdoar as faltas dos seus semelhantes. Percebam, irmãos, que não é mais a obediência milimétrica a uma lista de princípios, regras e interdições o que conta.

Não adianta mais esbravejar "não fornicareis", quando todos sabemos que fornicarás. Não importa mais saber se lavastes o sovaco, o pescoço, a sola do pé, quando sabemos que, no auge do inverno, não lavarás. Deus, agora, não quer nem mais olhar se estais circuncidados ou não, porque a nossa entrada no Reino dos Céus, irmãos, não depende de constatar se há dois centímetros de pele a mais ou a menos na ponta do pênis. A partir de Jesus, não importa contabilizar quantas cabeçadas você deu na vida, nem quantas desonestidades e maldades praticou. O que interessa, irmão, é se você apresenta amadurecimento espiritual capaz de te colocar no patamar evolutivo requerido para a salvação. Caso você consiga superar a fase primitiva e evoluir para o estágio civilizado no plano espiritual, você estará salvo, irmão. Amém?

"*E o episódio da crucificação, pastor? Nunca entendi direito o significado do sacrifício de Jesus. Estava tudo combinado entre Pai e Filho? Foi tudo um jogo de cena para impressionar a humanidade por meio da ressurreição de Cristo, para reforçar a certeza em relação à vida após a morte e à eternidade da alma?*"

Irmãos, sobre esse ponto, crucial para a fé cristã, admito ter uma interpretação muito pessoal e heterodoxa. Acompanhem o raciocínio, irmãos, e peço-lhes que perdoem a minha ousadia. Na minha forma de ver, o que estava programado para a ocasião era outro tipo de espetáculo, em que Jesus ascenderia aos céus diante de uma multidão e dos apóstolos, em meio a festival de fogos a cargo do Espírito Santo, pisando um tapete de luz iridescente sobre uma rampa invisível. Daí, irmãos, o nome da nossa congregação: Igreja da Divina Iridescência do Espírito. Assim como a luz compreende diferentes faixas de frequência, cada qual com sua cor específica, o Espírito Santo manifesta-Se em "cores" distintas. Apenas Jesus, transitando livremente entre a matéria e o espírito, agrupa todas as cores do espectro, ou seja, possui todos os dons da espiritualidade desenvolvidos em grau pleno. Teria sido um espetáculo e tanto, mas tal programação festiva, como sabemos, nunca ocorreu. Pouco antes de realizá-la, Jesus percebeu que o Pai mudava de humor, saindo do polo eufórico para o depressivo. Jesus não podia evitar a oscilação de humor paterna, então o que fazer? Seguir conforme planejado? Com o Pai naquelas condições, não havia como o Filho festejar nada. A solução de Jesus foi absolutamente brilhante. Deixar-Se-ia crucificar e encenaria o abandono do Pai – no caso, verdadeiro, embora temporário – inclusive gritando, para que todos ouvissem: "Pai, por que me abandonaste?" Em seguida, Se fingiria de morto por uns três dias e depois reemergiria do túmulo, portando a versão gloriosa de Seu corpo. Conviveria um tempinho com os discípulos e, ao partir deste mundo, o Espírito Santo desceria sobre eles, salpicando fermento na massa cinzenta daqueles cérebros toscos para logo levá-la ao fogo, a fim de que a palavra de Jesus pudesse ser passada adiante de forma inteligível e apetitosa. Ao proceder desse modo, Jesus nos ensinou que, mesmo diante da ausência do Pai, não precisamos sentir-nos desamparados e incapazes. Devemos empregar os nossos recursos próprios para seguir adiante. Ademais, podemos seguir contando com o Filho e o Espírito Santo. Eis a vantagem, irmãos, da natureza trina de Deus e sua personalidade. Se o Pai se ausenta, digamos, por causa de uma crise de depressão, isso não significa um problema irremediável. Podemos recorrer ao Filho, que Se comporta conosco feito irmão maior, bem como ao Espírito Santo, que nos traz as bênçãos e os dons de Deus. Felizmente, as evidências nos mostram que a personalidade de Jesus e a do Espírito Santo, ambas altruísticas, são mais estáveis que a do Pai celestial.

Em conclusão, irmãos, não batamos à porta do Senhor para pedir favores quando Ele estiver recolhido. Não descuidemos de satisfazer o Seu lado narcisista, mediante a oferta de elogios, adulações e muita obediência. Não deixemos de cumprir com as nossas responsabilidades e de *trabalhar, espiritualmente, na direção do amadurecimento necessário à salvação das almas. Mas, sobretudo, compreendamos que o nosso aprimoramento espiritual, além de agradar a Deus, também O ajuda em Seu processo pessoal de amadurecimento. Se, de nosso lado, elevarmos a qualidade da interlocução com Deus, talvez Ele tenha menos razões para Se deprimir e venha a tornar-Se um Pai mais presente e companheiro em nossas vidas. E agradeçamos sempre, e muito, a nosso Senhor Jesus Cristo, por nos haver transmitido fielmente a mensagem do Pai, ditada em momento de euforia altruística, e pelo constante e infalível apoio que nos tem emprestado ao longo dos últimos 2 mil anos, juntamente com o Espírito Santo.*

Que Deus abençoe todos nós. Amém.

Esta obra foi composta em Janson Text LT Std 12 pt e
impressa em papel Pólen 80 g/m² pela gráfica Paym.